«Al andar se hace camino…»

Colección «EL POZO DE SIQUEM

44

Carlos G. Vallés

«Al andar se hace camino...»

El arte de vivir el presente

Editorial SAL TERRAE
Santander

1.ª edición: enero 1991, 8.000 ejemplares
2.ª edición: mayo 1991, 8.000 ejemplares
3.ª edición: enero 1992, 8.000 ejemplares

Con las debidas licencias
Impreso en España. Printed in Spain
ISBN: 84-293-0886-5
Dep. Legal: BI: 39-92

Fotocomposición: Didot, S.A.
Bilbao
Impresión y encuadernación:
Grafo, S.A.
Bilbao

«Tal vez viví la vida de otros»
Pablo Neruda

INDICE

I. ASIMILAR EL PASADO

II. DOMAR EL FUTURO

III. VIVIR EL PRESENTE

I
ASIMILAR EL PASADO

GENTE DE SEGUNDA MANO

La frase me hirió como un golpe en la frente. El libro seguía abierto en mis manos, pero yo había dejado de ver la página, y sólo esa frase brillaba ante mis ojos como un relámpago inesperado que hacía pasar a segundo plano el horizonte entero de hacía un instante. A veces un pensamiento anda rondando la mente, buscando expresión, y se encarna por fin al encontrar palabra y acento en lenguaje exacto. Pero a veces, por el contrario, la mente está enteramente desprevenida, olvidada o incluso a la defensiva, cuando la revelación súbita del desafío impreso abre un mundo entero de inédita aventura. Eso había sucedido ahora. Mi soberbia inerte me había hecho creer siempre que yo era un individuo libre e independiente, dueño de mis acciones y señor de mis pensamientos; y ahora, de repente, me enteraba de que no lo era. Me sentí desenmascarado por el golpe certero. El libro había cumplido su cometido. La frase había dado en el blanco.

El libro estaba escrito por J. Krishnamurti, y la frase era: «Somos gente de segunda mano». Ya no leí más. Cerré el libro despacio y lo dejé sobre la mesa. No había más que hacer. Yo era una persona de segunda mano. Me habían descubierto. Y, lo que era peor, yo mismo lo había descubierto al fin, y ésa era la crisis. Soy de segunda mano. No soy original, no soy nuevo, no soy yo. Siempre me han desagradado los objetos de segunda mano. El mero hecho de que alguien los haya usado antes que yo les hace aparecer manchados, empañados, sin atractivo. El anuncio proclama: «¡Casi nuevo!», con lo que sólo se acentúa el hecho de que no lo es. El segundo dueño queda privado del placer virgen de la primera mirada, la caricia original, el perfume temprano. Sólo consigue usar lo que otro ha usado antes. Será práctico y barato, pero le falta sorpresa y emoción. Si me pongo un jersey de segunda mano, no puedo menos de pensar que me he metido en la funda de otro. He perdido parte de mi personalidad al vestirme con una prenda que antes ha llevado otro. Prefiero un jersey nuevo, aunque sea de peor calidad, a uno prestado o heredado, por bonito que sea su dibujo o brillantes que sean sus colores. ¿No se preocupa la gente por asistir al estreno de una película, por conseguir un nuevo sello el día de su emisión? Mi vestido es, de una manera externa pero clara y definitiva, parte de mí mismo, y quiero que toda parte de mí mismo sea mía.

Y ahora me encuentro con que no es así. No se trata ya de que mi jersey sea prestado, sino de que también lo son mis ideas, mis principios, mis gustos y mis convicciones. No es ya sólo mi vestido, sino mi piel y mis huesos. Lo que yo creía que era mío exclusiva y característicamente resulta ser tan sólo herencia vulgar y común. Ya lo presentía yo en la oscuridad de mi oculto pensar, pero no estaba dispuesto a admitirlo ni ante mí mismo. En cambio, ahora que la denuncia radical y certera ha venido de fuera, la revelación retrasada ha explotado y ha roto todos los niveles de mi conciencia con violencia sísmica. Yo no soy yo. Hay poco de mí en mí mismo. Soy de segunda mano. Lo que yo llamo mis ideas no lo son, sino que todas han sido antes de otros. Yo no las he discurrido por mi cuenta. Mis gustos son heredados, y si yo hubiera nacido en otra parte del mundo y bajo otra cultura, no me gustarían muchas cosas que ahora me gustan; en cambio, me encantarían cosas que ahora me desagradan. Según dijo ya Mark Twain, soy «un manojo de prejuicios». Soy un paquete de conceptos prefabricados. Hasta mis reacciones de ahora son el resultado de una larga programación sistemática.

Lo que yo llamo en mí «reacción espontánea» no es más que la repetición de un hábito, y lo que considero genuino sólo llega a parecérmelo a fuerza de constantes ensayos. No soy real, sino artificial; no soy original, sino manejado. Llevo tanto tiempo con este traje que he llegado a creerme que es mío, pero ahora descubro que es de segunda mano, y la súbita revelación me hace sentirme incómodo al llevarlo.

Escuché una vez, frente a frente, el discurso de un político que él había preparado cuidadosamente. Iba subrayando con ensayado acento los pasajes clave que contenían las declaraciones esperadas después de las inevitables generalidades. «Yo personalmente creo que…», «estoy sinceramente convencido de que…», «he llegado a la conclusión de que…». Las palabras hablaban de convencimiento personal y sincero, pero al escucharlo yo sabía muy bien que lo único que el político estaba haciendo era repetir la doctrina de su partido. Mañana puede cambiar de chaqueta y proclamar con la misma «convicción» que está sinceramente convencido de… todo lo contrario. Lo que a mí me desasosiega ahora es descubrir que yo tampoco hacía más que repetir la doctrina de mi partido cuando les decía a otros, y yo mismo había llegado a creerme, que aquella era mi convicción personal. Queda bien para una arenga de campaña electoral, pero es un triste saldo para una biografía íntima. Es muy probable que el discurso del político se lo hubiera escrito el orador de turno en su equipo. ¿Y voy a permitir yo que mi vida se convierta en un discurso escrito por otro?

Sé muy bien que nadie puede desarrollarse por sí mismo. El *Emilio* de Rousseau sigue siendo una utopía. La criatura humana no puede prescindir de influencias externas, y el intentar semejante cosa sería la más perniciosa de todas las influencias. Al niño hay que enseñarle un lenguaje y un modo de vida, hay que iniciarlo en las leyes y costumbres de la etiqueta y de la moral. Nadie puede partir de cero ni, por poner un ejemplo, he de comenzar por inventar el sistema decimal si quiero aprender matemáticas. Haré bien en aprovechar la sabiduría de los siglos y usar libros de texto para enterarme del progreso de la matemática hasta el día de hoy. El peligro es que me quede atascado en los libros de texto y no llegue a aportar nada original, nada creativo, nada nuevo al saber y a la experiencia que me han precedido. Mi vida puede resultar un libro de texto más, y los libros de texto son, de ordinario, copia de otros libros de texto, así como las vidas de los hombres son, de ordinario, copias de otras vidas. Necesitamos investigación personal, si es que la humanidad ha de encontrar nuevos caminos.

Al menos una vez llegó a llevarse a cabo el cruel experimento por mano criminal. En el año 1828 apareció en Nürenberg un joven que había sido encadenado en una cueva poco después de nacer, y allí había permanecido diecisiete años en oscura soledad. Le llevaban la comida mientras dormía, y no había visto a ningún ser humano, no conocía lengua alguna, no poseía cultura humana de ninguna clase. Cuando lo descubrieron y le quitaron las cadenas no pudo andar, porque aún no había aprendido a coordinar reflejos y dirigir músculos, y su mirada era la de un animal espantado. Se le dio el nombre de Kaspar Hauser, pero nunca se llegó a resolver el misterio de su origen. Poco después de ser descubierto, alguien lo mató, probablemente la misma persona que lo había encerrado en la cueva. El hombre, para llegar a ser hombre, necesita ayuda y entrenamiento, tiene que aprender a ponerse de pie y a dar los primeros pasos, tiene que escuchar nombres y palabras, recibir normas y valores, ha de saber mirar a otros hombres a los ojos y sonreir a sus semejantes. Un niño criado en una cueva solitaria y oscura se hace un monstruo, y quienquiera que lo sometió a ese experimento es homicida. Cierta educación de un tipo o de otro es esencial para formar la persona humana. Siglos de civilización no han pasado en vano.

El peligro es que, ya que cierta educación es necesaria, ésta llegue a hacerse inviolable y sacrosanta. El sofisma disimulado está en cambiar el hecho de que «cierta» educación es necesaria por la suposición de que «esta» educación era la necesaria e irremplazable, y así, lo que era un mero accidente histórico se hace tradición venerada. «Esta» es la manera auténtica, y «aquello» no se debe hacer. Entre ustedes, entiendo. Si el niño hubiera nacido en otro sitio, habría aprendido chino en vez de inglés, y en vez del té de las cinco podría estar disfrutando un aperitivo de sangre coagulada entre los ganados de la estepa africana. Tenía que adquirir una lengua y unos hábitos alimenticios, pero qué lengua y qué hábitos no es lo que importa. De hecho, esos hábitos y ese lenguaje lo condicionan a un modo particular de vida que, por muy refinado que sea, es sólo uno entre muchos y, por consiguiente, limitado. Aprender una lengua nueva siempre enriquece al alma.

Una cosa hay que dejar bien clara desde el principio. Cuando digo que soy esclavo de mi pasado, no por ello reniego de él. En manera alguna. Mi pasado es plenamente válido, con la única condición de que quede y actúe como pasado, y no busque dominar mi presente. Que me dé base, pero que no me obligue a repetir ciegamente sus esquemas. Los cimientos están muy bien como cimientos, con su solidez y firmeza en las entrañas de la tierra leal; pero, si pretendo continuar con el estilo de los cimientos en el resto del edificio, me va a salir un fachada un poco llamativa. Ahora que estoy ya a nivel de tierra, quiero diseñar un edificio valiente con puertas y ventanas y torres y cúpulas. Acepto y abrazo con gratitud todas las influencias que han dado forma a mi vida; y mi único deseo, ahora que siento la madurez de la vida en mis miembros, es tomar mi vida en mis manos y moldearla desde ahora como yo, con plena responsabilidad y valentía, crea que debo y quiero moldearla. Quiero asimilar mi pasado para revivir el presente.

Otro aspecto. También me dicen que, aunque todos los elementos de mi personalidad puedan ser de segunda mano, la mezcla que en mí constituyen es única, y esa mezcla es nueva, es individual, es mi persona. Eso es mucha verdad y, una vez más, lo único que pretendo es que, de aquí en adelante, sea yo quien defina la mezcla, sea yo quien decida desde este momento cuáles son los elementos de mi mezcla, tal como soy y tal como me conozco a mí mismo, ahora que han de permanecer en mí, y cuáles son los que van a ser descartados, siendo yo quien controle las proporciones de la mezcla según mi responsable criterio y decisión personal. El día comienza cuando me despierto (es un proverbio indio). Hasta ahora eran pinceles extraños los que pintaban el lienzo de mi vida. Desde ahora quiero usar mi propio pincel.

Durante varios años, en mi juventud, tuve como maestro en mis estudios a un hombre que, por su rigidez, disciplina y ascetismo, era una verdadera máquina de enseñar. Muchos años más tarde, un cambio de trabajo, de lugar, de clima, lo convirtieron en una persona completamente distinta, de carácter abierto, alegre y encantador. Cuando gente que lo había conocido antes (y había sufrido sus rigores) le decía: «¡Cuánto ha cambiado usted!», él respondía: «Yo no he cambiado. Yo era siempre así en el fondo, sólo que mi verdadero carácter había quedado enterrado bajo capas y capas de autocontrol artificial. Ahora soy por fin quien yo sabía muy bien que era, y por fin he recobrado mi propio ser». Cuanto antes hagamos ese descubrimiento en nuestras vidas, más se enriquecerán éstas.

Esta es la cita completa de Krishnamurti: «Hace siglos nos vienen alimentando con papillas, como a niños, las autoridades, los libros y los santos. Les decimos: 'Cuéntamelo todo —¿qué es lo que hay más allá de las colinas, más allá de las montañas, más allá de la tierra?—, y nos damos por satisfechos con las descripciones que nos hacen, lo que quiere decir que vivimos de palabras, y nuestra vida es superficial y vacía. Somos gente de segunda mano. Vivimos de lo que nos han dicho, a veces guiados por nuestras propias inclinaciones y tendencias, y a veces obligados por las circunstancias y el entorno. Somos el resultado de toda clase de influencias, y no hay nada nuevo en nosotros, nada que hayamos descubierto por nosotros mismos; nada original, prístino, claro (…) Librarse de toda autoridad, propia y ajena, es morir a todo ayer, para que la mente quede siempre reciente, siempre joven, inocente, llena de vigor y de pasión».

Libertad, en frase borgiana, de «todos los ayeres de la historia».

En términos cristianos, traduciendo a mi propia vida y experiencia esas palabras de hondo saber, pienso en muerte y resurrección, en el misterio inefable de nuestra redención. Mi humilde persona, tal como me conozco hoy a mí mismo, es una muestra ordinaria de una humanidad de clase media. Podría seguir viviendo como hasta ahora que es lo que hace la mayoría de la gente, y añadir así un dígito más a las cuentas de la creación. Pero, ahora que el ángel de la anunciación se ha abierto paso con alas silenciosas a través de senderos de santa providencia, y me espera con un gozo hecho reto en el umbral de mi alma, tengo la oportunidad, única y eterna, de entrar en una nueva encarnación de gracia y de luz, de morir a mí mismo en la imagen usada de mi herencia mortal, para resucitar con el esplendor de la plenitud de la vida que Jesús me ofrece desde su nueva vida. La muerte es penosa, porque la vieja imagen, por más que pálida y gastada, me ha sido querida, y siempre me he encontrado a gusto en la seguridad y familiaridad de vestidos prestados y rincones usados; pero los clavos y la cruz son el único medio de abrir la vieja tumba de la costumbre y el prejuicio y liberar a la nueva personalidad que en mí se esconde y que nace ahora, en la mañana gloriosa de mi domingo de resurrección. Aventura pascual en una nueva Tierra Prometida.

VIVIR EN MI PROPIA CASA

Se trata de una verdadera conspiración para no dejarme a mí ser yo mismo. Por mi bien, desde luego, y con la mejor intención del mundo; pero la trama adversa se teje sin cesar. Las personas que están más cerca de mí y las que más me quieren me han estado diciendo desde mi tierna infancia qué es lo que tengo que hacer y qué es lo que tengo que evitar, qué tengo que pensar y qué tengo que creer, qué es lo que está bien y lo que está mal en este complicado mundo en que vivimos. Me han dicho todo eso antes de que yo tuviera la oportunidad de averiguarlo por mi cuenta; y, más que decírmelo en palabras y mandatos que yo podría reconocer más tarde como tales y aceptar o rechazar según desease, me han inculcado todas esas normas de vida y conducta sin caer yo en la cuenta, a través del ejemplo y la costumbre, de recompensas y castigos, de cariño y de miedo, hasta que han logrado establecer en mi conciencia todo un código de deberes y obligaciones que ha de presidir mis acciones todo el resto de mi vida, y me hará sentirme satisfecho cuando me conforme a él, y culpable cuando lo viole.

Reconozco la buena voluntad de todos los que me han formado, admito la necesidad de la enseñanza, quedo agradecido por lo mucho que he salido ganando por ello..., y ahora, en el amanecer de un nuevo despertar en mi vida, quiero otear los paisajes íntimos de mi alma, aceptar su belleza y su reto y dedicarme a la santa aventura de trazar nuevos rumbos y adivinar nuevos horizontes para una más atrevida escalada en la excursión de la vida.

¿Has visto la luz en los ojos de un hombre que se está haciendo una casa nueva? Hace años vivía en un piso alquilado que otros habían construido y en el que otros habían vivido, un inquilino tras otro. Es verdad que él había amueblado el piso y lo había decorado a su gusto, pero el piso era ajeno, los recuerdos de otros inquilinos colgaban todavía de las paredes, seguía el olor antiguo, los colores heredados, los duendes afincados. Desde un principio acariciaba en su mente el sueño de tener un día su propia casa, y le iba dando forma en su imaginación. Primero era pura fantasía, y después, poco a poco, la fantasía inicial fue haciéndose cercana realidad. Había hecho mil planos antes de que el arquitecto hiciera el definitivo. Había pensado cada rincón con la experiencia de su incómodo piso y la ilusión de la morada ideal. Había ahorrado dinero, echado cuentas, recortado presupuestos, agotado recursos, había hablado de ello día a día con su mujer, sus hijos, sus amigos y, sobre todo, aquellos que se habían construido una casa hacía poco y podían ofrecerle sus puntos de vista, su experiencia y, por encima de todo, la oportunidad de hablar con otros de lo que más deseaba, y así aclarar sus propias ideas al escuchar las de los demás. Por fin, cuando salieron las cuentas, se hicieron los planos y se tomó la decisión, se puso a trabajar con toda su alma, estudió cada diseño, siguió cada ladrillo, persiguió cada fecha, hasta que vio el sueño de su vida hecho realidad en hierro y cemento y madera y cristal, y se mudó a su nueva casa como si entrara en el cielo en feliz bienaventuranza. Ensayo terreno de felicidad eterna.

Un amigo mío vivió una vez toda esa experiencia, y yo tuve la oportunidad de vivirla de cerca con él, incluyendo la inesperada dificultad que surgió al final y que casi dio al traste con todo el proyecto, a pesar de que lo había preparado todo con detalle. Fue un problema bien delicado. Toda su vida había vivido en la parte vieja de la ciudad, edificada en su tiempo por los conquistadores musulmanes entre muros defensivos, laberinto de callejas estrechas y casas oscuras apiladas unas contra otras en defensa física frente a los rayos del sol y los ataques del enemigo. Ahora había ya construido su nueva casa en el amplio perímetro de las nuevas urbanizaciones, y estaba ya dispuesto a mudarse allí en la fecha fijada cuidadosamente por el astrólogo después de consultar a los astros. Fue entonces cuando surgió el problema: su anciana madre viuda se negó rotundamente a cambiarse a la casa nueva. Se la habían enseñado y le habían explicado al detalle todas las ventajas que tenía: agua corriente, aire limpio, espacio y comodidad, galería y jardín, y hasta un templo enfrente mismo para poder visitarlo cada día, cosa que —o así al menos había pensado su hijo— haría decidirse a su devota madre al cambio. Pero ella se negó. Y sus palabras al negarse fueron claras y definitivas: «Quiero morir en mi casa». Mi casa. Los rincones de siempre, los peldaños usados, los ruidos esperados, los vecinos conocidos. Pero, más que nada, la casa como símbolo de viejas ideas y antiguos principios. «Mi casa» quiere decir mis valores, mis gustos, mi historia, mi vida. Para aquella buena anciana, dejar su casa equivalía a dejar la protección de sus costumbres y sus creencias, sus gustos y su tradición, su atmósfera y su mentalidad. No se le podía exigir que a su edad abandonase todo el apoyo físico y moral de su entorno de siempre para irse a vivir a un lugar extraño. Ir a vivir a casa de otro era como ver las cosas desde el punto de vista de otro, y eso no era ya posible, aunque ese otro fuese su propio hijo. Por eso se negó. Y entonces, en oposición a ella pero por la mismísima razón, es decir, por afirmar su propia personalidad y libertad, su hijo se sintió aún con mayor deseo de ir a vivir a la casa que se había construido. Se impacientó por comenzar a vivir su propia vida independiente, de la que su nueva casa era símbolo y expresión. Pero no podía dejar a su madre sola en la casa vieja, y tuvo que retrasar indefinidamente la mudanza a la nueva. Dijo con tono de resignación: «Tendré que esperar a que mi madre muera para ir a vivir a mi casa». Y al oirle decir eso me pareció oírle decir: «Tendré que esperar a que mi madre muera para empezar a vivir mi vida». Eso fue, de hecho, lo que le sucedió.

Una vez recibí la visita de una señora de edad madura a quien no conocía y que tampoco me había especificado el motivo de su visita. Su tarjeta de visita llevaba un nombre corriente que no decía nada. Pasó un buen rato hablando de temas diversos, como si fuera explorando el camino y buscando una entrada. Yo no adiviné todavía a dónde se dirigía con todo aquello, pero ella era culta y educada, y el diálogo siguió, con una vaga expectación en el aire de que algo venía, sin poder definir qué era aquello. Llevábamos bastante rato hablando cuando ella, de repente, guardó silencio unos momentos, echó la cabeza hacia atrás, se rió abiertamente y dijo: «Creo que me voy a fiar de usted. Le voy a decir algo que nadie por aquí sabe de mí. Yo soy nieta de…», y pronunció uno de los nombres más conocidos en la historia contemporánea del mundo. Mis ojos expresaron sorpresa. Ella lo notó y siguió: «Durante muchos años he vivido bajo el peso de ese nombre. Al presentarme a cualquiera, notaba enseguida una imperceptible inclinación de cabeza, una sonrisa respetuosa, un silencio reverente. Al principio me gustaba. Agrada el tener importancia. Pero pronto me harté. Resultaba que yo no era más que la nieta de alguien. No tenía personalidad propia. Tenía que pensar, hablar, obrar como mi abuelo, o al menos eso es lo que se esperaba de mí. Se me recordaba constantemente que tenía que ser digna del gran nombre que llevaba. Es decir, que yo tenía que ser otra persona. Yo no era yo. Desde luego que yo apreciaba muchísimo a mi abuelo y le tenía un gran respeto, pero no iba a rendir mi propia personalidad ante él. Por eso me fui a vivir a otra parte del país, me casé fuera de nuestro círculo social, tomé el apellido de mi marido y fui a vivir a un sitio donde nadie me conocía. Allí viví como yo quería vivir, y hoy, por fin, después de muchos años, me he sentido lo suficientemente libre como para contarle a alguien mis lazos de familia. Ahora ya lo sabe usted».

Sí, lo sabía y lo apreciaba. El peso de un gran nombre puede resultar insoportable. Y, aunque no sea tan dramático y traumático, el peso de cualquier nombre, los vínculos de familia y herencia, de costumbre y tradición, de padres y maestros pueden también llegar a hacerse sentir e impedir el desarrollo y crecimiento normal de la persona. El peso del pasado, la nobleza que obliga, la obediencia que se impone. El peligro es tanto mayor cuanto que los valores y costumbres que se le quieren imponer a uno son de ordinario auténticos y beneficiosos en sí mismos, y por eso crean la duda de si se aceptan por su valor intrínseco o por la presión de fuera. No es extraño que en esa lucha por la propia identidad sobrevengan crisis y se cometan excesos, como para probar si las propias convicciones son genuinas o no. Todo crecimiento conlleva dolor.

Un caso extremo que la historia conoce, aunque algunos recatados biógrafos prefieren pasarlo por alto, es el del propio hijo de Mahatma Gandhi. Para desafiar a su padre y proclamar su rebelión total contra él, se entregó a una vida licenciosa y llegó al extremo de cambiar públicamente de religión y hacerse mahometano, en abierto desprecio a su padre hindú. Quiso separarse por completo de su santo progenitor, que, según él, le había querido hacer tan santo como él. La santidad no se impone. Cuando el hijo cometía algún delito, su padre ayunaba en público varios días en reparación, y eso, para el hijo, era presionarle abiertamente para que sus desórdenes no mancharan la reputación del padre de la patria. Sin juzgar a padre ni a hijo, puede verse claramente en este caso un ejemplo extremo de la tensión que se crea cuando una generación, con la mejor intención del mundo, trata de imponer sus principios a la siguiente. La búsqueda de identidad y la necesidad de independencia pueden sobreponerse a todo sentimiento y llevar el sufrimiento al seno de las mejores familias. El hijo de Gandhi tuvo una triste muerte en un hospital público.

No se trata de un problema para jóvenes sólo, ni sólo dentro de la familia, ni cuando llega una crisis aguda. El problema existe siempre y, de hecho, resulta aún más peligroso cuando queda oculto, cuando la tensión queda relegada al subconsciente y aumenta en la oscuridad a través de los años, acumulando impulso según la persona va madurando y buscando su personalidad en obediencia y oposición simultánea a familia y sociedad, profesión y creencias. Aunque en realidad no es un problema, sino un don. Es una oportunidad, un privilegio, un amanecer. Es el despertar del alma, en admiración íntima, a la cálida realidad de su propio valer. Este impulso vital de encontrarse a sí mismo, cuando irrumpe en la historia personal del hombre con todo su poder y su reto, marca el adviento peligroso y valiente de la nueva vida, aventura personal e inevitable que cada ser humano está llamado a vivir en plenitud sobre esta noble tierra.

VER LO QUE HAY QUE VER

Nos adaptamos a lo que todos hacen, porque nos resulta cómodo y seguro; y, una vez que nosotros nos hemos adaptado, nos gusta que los que vienen detrás también se adapten, para que podamos seguir sintiéndonos cómodos y seguros en su compañía. Sigue la corriente, haz lo que todos hacen y piensa como todos piensan. Júntate al grupo, y así verás lo que el grupo ve y llegarás a donde el grupo llega, que es lo que satisface a la mayor parte de la gente en fácil conformismo..., pero deja inquietos a los ojos que pueden ver más y a los pies que quieren ir más lejos.

En toda la ciudad de alguna importancia en el mundo de hoy se pueden ver grupos de turistas que van juntos, de monumento en monumento, con el práctico acuerdo de un itinerario fijo, un programa diario y un precio común para todos. Todos siguen al guía, que les explica en su lengua, con acento repetido de múltiples visitas, la historia de lo que ven y el sentido de lo que oyen. Todos miran a la derecha cuando les dice que miren a la derecha, y a la izquierda cuando el guía señala a la izquierda, con murmullo unísono de aprobación sumisa. A veces, cuando se apartan a pie del refugio de su autocar, el guía levanta una banderita para que todos la vean y puedan seguirla sin perderse por los rincones de una callejuela o las galerías de un museo. El grupo va siempre junto y nadie se separa. Siguen su programa día a día y, según ellos mismos dicen, «acaban» con una ciudad, un país, a veces un continente entero, en pocos días, sin dejar rincón. Todos vuelven sanos y salvos, con una colección de postales, fotos y recuerdos, para probar que han estado en todos los sitios en que debían estar y presumir del viaje ante sus amistades.

Muy cómodo, desde luego. Pagado de antemano, programado, garantizado. Pero, por esa misma razón, vulgar y corriente. Las postales son las mismas para cada turista, los recuerdos son baratos y sabidos. Por maravilloso que sea el país visitado, apenas se llega a conocer esa nueva tierra o a establecer contacto con su gente cuando se viaja en el protegido aislamiento de un tour organizado por una agencia de viajes.

Para la mayor parte de la gente, la vida no es más que un tour organizado por una agencia de viajes. Miran adonde les dicen que tienen que mirar y ven lo que les dicen que tienen que ver. Van adonde les llevan y se quedan allí hasta que les dicen. Obediencia voluntaria a un plan preprogramado. Miren a su derecha. Miren a su izquierda. Unísono de cabezas en concierto de ideas. Estudia lo que te dicen que tienes que estudiar; aprende lo que te dicen que aprendas; aprecia lo que te dicen que aprecies; busca lo que te dicen que busques; gana dinero, diviértete, hazte famoso, viste bien; aplaude cuando todos aplauden y sonríe cuando todos sonríen; no hagas preguntas y no seas indiscreto. Sigue al guía y andarás seguro. No pierdas de vista su banderita y no te perderás. No importa que te pierdas el gozo del descubrimiento y la experiencia personal de la maravilla que es la vida. Estarás de vuelta sano y salvo el día fijado en el sitio fijado. Todo está bien previsto.

Por fortuna, aún hay puertas abiertas y caminos libres para aquellos que quieren explorar la vida por su cuenta, viajar por caminos infrecuentes y dejarse sorprender por las aventuras de la mente, los horizontes del espíritu, los paisajes del alma. Están dispuestos a viajar solos, a afrontar peligros y sufrir privaciones; aman lo desconocido y se fían de sí mismos en el laberinto de la vida. Son pioneros perpetuos que —respetando, desde luego, los derechos del grupo y reconociendo las ventajas del viaje común— prefieren para sí el legítimo privilegio de una búsqueda personal. Quieren sentir la textura de un suelo nuevo bajo sus pies descalzos, les gusta respirar aire nuevo y probar manjares exóticos, incluso les atrae el breve pánico de sentirse perdidos de repente en una tierra extraña. Turismo de a pie. Autostop en las carreteras que llevan al cielo. Los días de los grandes exploradores aún no han llegado a su fin.

Quien no haya descubierto tierras nuevas por sí mismo no verá con buenos ojos que otros las descubran. Más bien verá en ello un reproche a su pereza mental y un desafío a su propia inercia. Por eso es posible que incluso se oponga a sus aventuras y critique sus descubrimientos, en un intento de justificar su falta de conquistas anulando las de los otros. Lo que yo no haya hecho no merece la pena hacerse y, si alguien lo intenta, ya me encargaré yo de desmentirlo para que no quede yo al descubierto y sufra mi reputación. La gente que no cambia no suele permitir a los demás que cambien, no tolera fácilmente el cambio en los demás. Así es como se oponen al cambio, la sociedad se anquilosa y las ideas envejecen. En una tal atmósfera hace falta valor para arriesgarse a ser original y proclamarse diferente. La mayoría de la gente prefiere el silencio a la confrontación.

Cuentan de un gran literato que declaró en su lecho de muerte que le aburría Homero. Fue casi una confesión de última hora para liberarse de la culpabilidad que sentía por no estar de acuerdo con el juicio de la humanidad. El mundo de las letras declara que Homero es su mayor poeta épico; en consecuencia, hay que alabar sus virtudes literarias y, lo que es peor, hay que disfrutar con sus obras. Y eso es lo que él nunca había logrado hacer. Repetidas veces había intentado leer la Ilíada y la Odisea, y se le habían caído de las manos. Pero se había callado su desencanto. ¿Cómo declarar que Homero le aburría, cuando toda la gente culta a su alrededor disfrutaba con sus obras (o, al menos, así lo decían) y proclamaban que eran la más bella epopeya que jamás escribiera la mano del hombre? Algo no andaría bien en él si discrepaba de la opinión universal de todos los hombres de letras en todo el mundo. Algo le faltaba si no llegaba a apreciar a Homero como los demás lo hacían; y así disimuló, asintió con la cabeza y guardó un discreto silencio cuando otros cantaban las alabanzas del gran bardo. El no veía nada donde los demás veían maravillas. ¿Tendría algún defecto en la vista? No. Sus ojos estaban bien sanos y su gusto literario era auténtico; sólo que era diferente. Y hace falta valor para ser diferente en una sociedad que ama la uniformidad y recompensa el conformismo. Por eso se guardó su secreto, sufrió toda su vida el remordimiento de su oculta rebelión y, por fin, aligeró su alma con la confesión pública en el último momento: Homero me aburre. Y murió en paz.

A veces también nuestra conciencia se vería aligerada y nuestra alma encontraría la paz si pudiéramos expresar con toda candidez nuestras discrepancias respecto del sentir común de la humanidad. Respeto el juicio de los siglos y honro la opinión de los sabios, conozco el veredicto de los críticos y el gusto de la gente entendida; pero también conozco mis propios gustos y mis convicciones personales, y me atrevo a declarar, sin arrogancia y sin ánimo de ofender a nadie, que Homero me aburre. No veo por qué he de decir que veo lo que no veo y siento lo que no siento. Al contrario, creo que puedo contribuir más a la riqueza de pensamiento y la variedad de la vida en mi entorno expresando mi honesto desacuerdo que fingiendo un forzado acuerdo. He aquí mi opinión y he aquí mi experiencia, valgan lo que valgan. Que tomen nota de ello los que así lo deseen, y que se olviden de ello los demás. Y que el viejo Homero siga ocupando su trono sin molestias. (A mí, por cierto, me encanta Homero).

Sin embargo, en la práctica, esta actitud puede resultar incómoda, y resulta más sencillo decir, como todo el mundo, que Homero es fantástico y sus obras lo mejor que existe, y dejarse de discrepancias y controversias. Repetir lo que otros han dicho antes y reforzar los antiguos puntos de vista con nuevo vasallaje. La humanidad es quien sale perdiendo.

He aquí una parábola moderna para levantar ondas de inquietud en mentes despiertas. En una cárcel en que los presidiarios vivían recluidos en dormitorios y patios comunes, sólo uno tenía un cuarto para él solo, con una ventana a través de la cual se veía un bello paisaje de montañas y árboles y se filtraban las salidas y las puestas de sol con la belleza diaria de sus cambios constantes. Por lo demás, la prisión tenía muros tan altos que nada se podía ver desde ningún otro sitio dentro de ella. Por regla y tradición, aquella celda privilegiada la ocupaba el presidiario que contaba con más años de condena; y, cuando él cumplía la sentencia y salía de la cárcel, la ocupaba el siguiente por derecho de antigüedad. Existía la costumbre de que, ya que los demás no podían ver el paisaje, el ocupante de aquella celda contase a los demás lo que veía desde su ventana y les describiera las salidas y las puestas de sol que ellos sólo podían disfrutar a través de sus palabras. Esas descripciones del paisaje, con sus cambios en las diversas estaciones y las diversas horas del día, eran el mayor entretenimiento que proporcionaba el establecimiento, y todos las escuchaban con ardor. Ni que decir tiene que la celda de la ventana era deseada por todos, y había que seguir rigurosamente la lista de espera.

Sucedió un día que la celda quedó vacante, y el siguiente de la lista se apresuró a ocuparla. Había esperado mucho tiempo, y tenía gran deseo de ver por sí mismo el paisaje que había oído describir tantas veces y contárselo luego a los demás añadiendo nuevas pinceladas de su cosecha a la imagen tradicional. Hacía años que no veía la naturaleza, y deseaba con toda el alma hartarse ahora con la vista desde la ventana. Llevó su equipaje al nuevo cuarto, quedó solo en él, y finalmente se acercó a la ventana con gozosa expectación. Miró a través de ella, y lo único que vio fue un muro que casi podía tocar y que no le permitía ver absolutamente nada en ninguna dirección. En un instante cayó en la cuenta de la triste realidad y vio que no tenía remedio. Desde aquella ventana no se veía nada. No había montañas ni prados ni árboles ni nubes; no había salidas ni puestas de sol. No había nada. Sólo un muro basto y vertical, que era lo que siempre había habido. Le habían engañado, y con él a todos los presos de todos los tiempos en aquella cárcel. No había nada que hacer.

Sintió rabia y frustración, y esperó impaciente el momento de salir de la celda, encontrarse a sus compañeros y decirles la verdad. Si le habían jugado una broma pesada, él sería el primero en desbaratar la farsa de que todos habían sido víctimas desde siempre. Acabaría con la leyenda, desharía la ficción, les haría olvidarse a todos de las glorias de la celda de la ventana. Ya no habría más interés por llegar a ella, se acabarían las luchas, las envidias y las prisas. La celda no tenía nada especial, y de nada servía llegar a ella.

Sonó por fin la hora, salió él de la celda y se enfrentó con el grupo que le esperaba. Todos le miraban con la expectación de una nueva experiencia, una nueva descripción de labios de quien había visto el paisaje por vez primera y estaría dispuesto a describirlo con el encanto de un estreno. El miró por un instante sus rostros, dejó que se hiciera silencio absoluto y dijo: «No hay palabras para describir lo que vi desde esa ventana. En frente de mí había una fila de árboles frondosos que hablaban dulcemente con el viento; detrás de ellos se extendía un prado, lleno de flores de todas clases y colores, hasta donde alcanzaba mi vista; y luego, sobre el lejano horizonte, toda una cadena de montañas nevadas que parecían llegar al cielo. Es la vista más maravillosa que he visto en toda mi vida. Merecía la pena esperar todo lo que he esperado para verla. Os contaré fielmente, día a día, los cambios que vaya notando en el paisaje, y os describiré las salidas y las puestas de sol que vengan a visitarme en mi celda a través de esa bendita ventana».

Así habló el prisionero más antiguo. Y así continuó la leyenda.

CUERPO Y MENTE

Páginas atrás mencioné el caso de un joven de diecisiete años y orgánicamente sano que no podía andar, porque nunca lo había aprendido. A primera vista, parece extraño que no pudiera andar a esa edad con un cuerpo desarrollado, pero el caso es verdadero y hace pensar. El hombre ha de aprender a andar, y sin un largo y penoso aprendizaje no puede llevar a cabo el que parece el más sencillo de sus actos: andar. Hay que dirigir nervios, coordinar músculos, persuadir a miembros, y poco a poco, con mucho tropezón y mucha caída, el niño finalmente comienza a andar a su manera... y pronto se olvida de lo mucho que le costó aprender la tarea más elemental de su vida.

Todo lo que hago ahora es algo que he aprendido a través de un largo proceso. Hasta lo que hoy me parece espontáneo es reflejo adquirido. Nada más natural que extender el brazo y coger una pelota que me tiran. No caigo en la cuenta de que me costó años el dominar ese simple gesto. Una vez estaba yo jugando a tirar la pelota con una niña de seis años. Era sana y fuerte, y ella fue quien propuso el juego. Yo le tiré la pelota un poco de lado para darle interés al juego, pero enseguida vi que había sobreestimado su habilidad. Entonces le tiré la pelota despacio y de frente para facilitarle el juego. Pero ni aun así podía cogerla. Aún no había dominado la elemental asignatura. Yo la veía afinar la vista, adelantar el brazo rígido sin articular el codo o la muñeca, hacer un gesto brusco en el último momento, mientras la pelota se le escapaba y ella se reía de su propia torpeza. El entrenamiento de los ojos para medir la distancia, el movimiento del brazo para salir al encuentro de la pelota, el ángulo exacto, el tiempo medido, el reflejo certero son todos ejercicios infinitamente delicados y complicados que nuestro sistema ha tardado largo tiempo en aprender desde la infancia. Después nos olvidamos del aprendizaje, damos por supuesto el resultado y lo llamamos «natural». Nada es natural. El más sencillo movimiento del cuerpo es toda una tesis doctoral. Ha hecho falta mucho tiempo, esfuerzo y concentración para dejarlo grabado y programado en los circuitos de nuestro organismo.

Cuando una persona mayor sufre una hemiplejia, pierde el movimiento en parte de su cuerpo. Si no ha sufrido daño orgánico, puede recuperar el uso de sus miembros, pero sólo tras una seria recuperación que le resultará penosa y humillante. Sus músculos y huesos y nervios están en sus brazos y piernas tal y como estaban antes del ataque, pero el circuito del cerebro que regulaba sus movimientos se ha fundido, y el remplazarlo es un proceso laborioso. Ver a una persona adulta someterse a esa reeducación física para recobrar el uso de sus miembros es una experiencia seria que hace pensar, y es al mismo tiempo lección importante que no conviene olvidar. Nada en nosotros es espontáneo. Todo lo que hacemos o decimos es aprendido y adquirido.

Este condicionamiento de mis músculos para la postura y el movimiento es necesario y benéfico. Apenas podría vivir un vida humana sin él. Lo que es importante es caer en la cuenta del precio que por ello he pagado. Cada condicionamiento es una limitación, un corte, una censura. Se te capacita para hacer esto... a costa de perder otras posibilidades. Los músculos abrazan a los nervios, y los nervios transmiten sensaciones; por consiguiente, el condicionamiento de mis músculos afecta a mis emociones y, a través de ellas, a mi carácter. No existe condicionamiento inocente. Cada servicio prestado lleva su etiqueta con el precio. Como buen occidental, me han educado en andar deprisa, y ese paso rápido ha pasado del cuerpo a la vida, a mi actitud ante las cosas, a mi pensamiento, a mi trabajo, a mi prisa por hacer todo pronto, llegar rápido, conseguir resultados con eficiencia inmediata y perfección total. En cambio, al hindú en la India le han enseñado desde su infancia a sentarse en el suelo con las piernas cruzadas, y en esa postura primordial, cercano a la tierra de donde viene y unido en el vínculo orgánico de su propio cuerpo, aprende la paciencia y vive la paz, se sume de inmediato en contemplación cósmica y espera la eternidad. Al modelar nuestros músculos han modelado nuestras mentes. Toda una filosofía de la vida ha quedado inscrita en mis huesos y mis articulaciones por el mero modo en que me han enseñado a andar, a sentame, a estar de pie. Y si un ejercicio tan inocente como el andar ha marcado ya mi vida y ha enfocado mis pensamientos con tal eficacia, comienzo a pensar con antelación curiosa en las muchas y variadas maneras en que la sociedad y la tradición han doblegado en obediencia no ya mis pies y mis manos, sino mis principios y valores. Larga intriga de complicada historia.

Thérèse Bertherat, en su libro *El cuerpo tiene sus razones,* cuenta un ejemplo interesante que me hizo pensar. Una anciana había vivido los últimos años de su vida con el cuerpo doblado en ángulo recto por la cintura, de tal modo que sólo podía caminar apoyándose en un bastón y mirando hacia el suelo. Sus huesos y articulaciones habían quedado anquilosados de tal manera que ya no podía enderezarse. Cuando murió, alguién debió de pensar que se necesitaría un ataúd especial en forma de ángulo para enterrarla, ya que su cuerpo no entraría en un molde recto. Pero no fue necesario tal ataúd. En cuanto murió, y antes de que la rigidez de la muerte invadiera el cadáver, vieron que el cuerpo muerto se acostaba por sí solo con toda naturalidad hasta quedar derecho y normal. ¿Qué había pasado? Las articulaciones no se habían cementado. Eran los músculos los que, en la esclavizadora tensión de una existencia atormentada, habían atenazado a los huesos en un ángulo cruel. Cuando la muerte les quitó a los músculos la fuerza de su tenaza, los huesos volvieron a quedar libres y el cuerpo se dejó enderezar sin dificultad.

Para mí, éste es un pensamiento tremendo. Pienso en los músculos de mi cuerpo, endurecidos y entumecidos a lo largo de años de rigor y disciplina, posturas geométricas y porte lineal. Me enseñaron a andar derecho, levantar el cuello, doblegar las manos en pasividad resignada, llevar los ojos bajos y los labios cerrados. Se ponía por modelo a quien permanecía sentado horas enteras sin moverse, a quien aguantaba de rodillas como una estatua de piedra, a quien controlaba todos sus movimientos con lo que se llamaba «madurez religiosa». ¡Buena madurez! Todavía siento mis músculos ahogando mis nervios y mis huesos, tiranos ocultos dentro de mi propio cuerpo. Un desgraciado mensaje de intolerancia ha quedado grabado en mis tejidos más íntimos por el condicionamiento severo de una instrucción férrea. Toda la red de comunicaciones entre cabeza y miembros, cerebro y movimiento, ha sido tomada por un ejército extranjero en ocupación forzada. Y lo más agudo y patético de la situación es que yo no he caído en la cuenta del problema y sigo creyendo de buena fe que las comunicaciones están en mis manos. Si no despierto y descubro que ya no me rijo a mí mismo, no movilizaré mis recursos para volver a conquistar los controles de mi vida. He de sentir mi dependencia si quiero conseguir la independencia.

Buckminster Fuller, inventor genial de la cúpula geodésica con toda su belleza arquitectónica y su perfección geométrica, cuenta cómo un día su hija pequeña le llamó la atención sobre la rigidez de su cuerpo y lo mecánico de sus movimientos. Nunca se le había ocurrido a él tal cosa, y siempre había considerado su conducta corporal sana y normal; pero la crítica concreta de una persona que lo conocía bien y lo amaba de veras fue una revelación para él, según él mismo dijo, y tuvo gran influencia en devolverle la suavidad a su cuerpo y, a través de él, a sus singulares creaciones arquitectónicas. Describe así el incidente. «Cuando mi hija Allegra tenía doce años, me dijo: 'Papá, a ti te educaron como a un caballero de Boston, para quien todo movimiento corporal es mala educación. Como oficial de la armada de los Estados Unidos, tenías que andar tieso, y cualquier movimiento había de tener sentido oficial'. Allegra continuó: 'Mi cuerpo quiere hablar. Me gustan tus ideas, papá, me gusta tu filosofía. Creo que estás impidiendo la eficacia de tus ideas por tu lamentable autosupresión'. Tanto me impresionó lo que me dijo que, a mis 39 años de edad, me puse a desenroscarme. Eso cambió mi vida, como lo muestra mi trabajo desde 1940».

«Mi cuerpo quiere hablar». Bella expresión. Nuestro cuerpo quiere hablar, tiene su lenguaje, sabe expresar gozo y dolor, puede lograr comunicación instantánea y tocar fondo en emoción y sentimiento. Existe una gramática del gesto y el tacto, la mirada y la sonrisa, que trasciende las palabras y resalta los mensajes con el sentido genuino de la expresión total. Por desgracia, nuestros cuerpos están encadenados por la rigidez y el formalismo, y sólo llegan a expresar el «sentido oficial», que en sí mismo ni siquiera tiene sentido. Nuestros apretones de mano son mecánicos, nuestras sonrisas son automáticas. Un cuerpo congelado es el resultado de un falso entrenamiento, y ahora se ha convertido en fuente permanente de conducta artificial en nuestro encuentro diario con otros hombres y mujeres que están tan condicionados como nosotros para mirar sin ver y tocar sin sentir. Casi todos nos portamos casi siempre como robots bien educados, y estamos ya tan acostumbrados a ello que la vida de sociedad transcurre ya a esos niveles enrarecidos, lejos, muy lejos de la intimidad y espontaneidad que deberían presidir las relaciones humanas. Nos hemos olvidado del largo condicionamiento que ha producido esta conducta estereotipada, freno de nuestras reacciones y niebla permanente de nuestra vida social. Caer en la cuenta del cautiverio es el primer paso para la liberación.

Una sencilla reflexión puede aclarar y profundizar nuestro modo de entender nuestro propio funcionamiento: hasta qué punto quedamos fisiológicamente condicionados por la temprana educación que recibimos, y qué efectos tiene ese condicionamiento en nuestras vidas. Pocas personas llegan a dominar la pronunciación de una lengua extranjera, a no ser que la aprendan de niños. La garganta, las cuerdas vocales, la lengua, la boca entera nos han quedado moldeadas de tal manera por el aprendizaje de la lengua materna que, durante el resto de nuestras vidas, podemos emitir con facilidad absoluta los sonidos de nuestra tierra, mientras que se nos hace casi imposible reproducir con exactitud los extraños gruñidos de gente de otras latitudes. Las cuerdas vocales son vírgenes y dóciles, pero, una vez que se las afina en un tono, se niegan a cantar en otro. La lengua gujarati en la India tiene cuatro «tes» sin contar las diversas combinaciones entre ellas; sin embargo, un alegre compañero mío venido de España declara abiertamente que para él sólo hay una «te», y deja a los oyentes que averigüen de cuál se trata en cada caso. El especialista inglés en pronunciación, Dr. Jones, le preguntó una vez a un alumno español en su clase cuál era su nombre. El estudiante contestó con aplomo: «Ridruejo». El profesor se quedó en éxtasis y le volvió a rogar: «Por favor, dígalo otra vez. Esos sonidos son una fiesta para oídos británicos». La «erre» inicial, con su inimitable vibración, y la «jota» gutural y mozárabe son sonidos que apenas se oyen en las islas británicas, y el buen profesor no quiso perderse la ocasión. Cuentan que en Roma, antes del concilio, hubo cierta inquietud al extenderse el rumor de que un obispo americano estaba diciendo la misa en inglés, cosa que entonces estaba estrictamente prohibida. Todo fue, sin embargo, que el buen obispo oficiaba en latín, pero un latín que, pronunciado con un marcado acento norteamericano, les sonaba a los italianos, con su oído musical, como un lenguaje de bárbaros que tomaron por inglés. Confusión comprensible en esta Babel de lenguas en que vivimos.

Esto hace pensar. Todos sabemos que hay una correspondencia muy cercana entre lengua y mentalidad. La cultura se refleja en el lenguaje, y éste, a su vez, modela las nuevas mentes en la cultura ancestral. En consecuencia, el hecho de que a mi garganta se le haga difícil pronunciar los sonidos de otras lenguas es a un tiempo símbolo y factor del condicionamiento de mi mente para no poder entender fácilmente otras culturas. El factor de rigidez en mis vocales y consonantes se extiende a mis pensamientos y principios. Mi garganta se niega a pronunciar otros sonidos, como mi mente se niega a aceptar otros puntos de vista. No puedo aceptar como cosa propia lo que no puedo pronunciar con facilidad. Mis cuerdas vocales, que me han hecho el gran favor de permitirme hablar, me han traicionado también en cuanto me han limitado, con sutil eficacia, controlando mis modos de expresión y, juntamente con ellos, mi mundo de conceptos y percepciones, mi capacidad de encontrarme a gusto en otros pueblos y con otras culturas. Soy esclavo de mi pronunciación. Un condicionamiento orgánico me ha dejado marcado de por vida. El modo en que esos tiernos músculos han sido afinados determina la música que he de cantar y disfrutar mientras viva en este cuerpo. Y, repito, esa música es magnífica, pero ahora deseo ampliar el repertorio. Lo mismo pasa con las lenguas: no se trata de olvidar la lengua materna; se trata de aprender nuevas lenguas. Lenguas del espíritu.

Mi organismo entero ha quedado condicionado para hacer, disfrutar, aceptar, valorar, repetir ciertas acciones y ciertos procesos y rechazar otros. Eso ha dejado de ser ya un proceso consciente y se ha transformado en una elección preprogramada que mis centros nerviosos ponen en marcha antes de que yo me entere de lo que está pasando por las interioridades de mi mente. Es el piloto automático que lleva el avión sin consultarme a mí, aunque yo estoy en la cabina. Resulta cómodo y seguro, pero solamente para una viaje fijo.

Ahora quiero explorar nuevos horizontes y navegar por nuevas rutas. Quiero agradecer de todo corazón a mis músculos y a mis nervios y neuronas y dendritas todo lo que han hecho por mí en el pasado, pero al mismo tiempo quiero que sepan que de ahora en adelante seré yo quien lleve el volante y dirija el vuelo. Quiero recobrar el dominio de mi organismo y devolverle al movimiento de mi cuerpo y de mi alma una nueva espontaneidad y una nueva gracia. Quiero destensarme antes de que sea demasiado tarde. No quiero que mis amigos tengan que preocuparse por la forma de mi ataúd.

LAS ROSAS Y LOS PECES

Estaba yo una vez dando una charla a un grupo de hindúes en Nueva York, y durante la charla se hacía una colecta para los fondos de la asociación que había organizado la conferencia. Mientras yo hablaba, una niña pequeña, que no tendría más de tres o cuatro años, iba pasando entre las filas de asientos con una bandeja casi más grande que ella donde los oyentes iban echando su contribución. Yo miraba a la niña mientras seguía con la charla, y observé una cosa curiosa. Cuando alguien ponía un billete de uno o dos dólares en la bandeja, la niña lo dejaba allí; pero, cuando llegaba un billete de diez o más dólares, ella lo cogía enseguida y se lo guardaba en el bolsillo. Espabilada viene, pensé yo. Por desgracia para ella, su madre también la estaba observando, descubrió la maniobra y actuó con prontitud para corregir los desmanes de su hija. Le sacó todos los billetes del bolsillo, los volvió a poner en la bandeja y se aseguró de que ésta, con su contenido íntegro, llegaba a manos del tesorero de la asociación. La charla continuó sin incidentes, pero la lección de aquella tarde se quedó grabada en mi memoria. Aquella niña, en su tierna edad, conocía ya perfectamente el valor del dinero, sabía distinguir entre un billete de un dólar y un billete de diez (aunque tienen el mismo tamaño y color), y sabía también que un billete de diez dólares era algo que merecía la pena guardarse en el bolsillo. Todo un curso en economía práctica.

La madre de la niña actuó con rapidez para enmendar la travesura de su hija. Pero, de hecho, la responsable de la travesura era la madre. ¿Dónde, si no en su casa, había aprendido la niña la importancia del dinero? Cuando sea mayor, sus conocidos dirán de ella que es pesetera («dolarera», habría que decir), y puede que sus mismos padres le reprochen su apego al dinero. Pero fue de ellos de quienes ella lo aprendió. El dinero estaba siempre presente en el ambiente de su casa, el tema era diario, la palabra se oía a cada instante, los billetes de banco se trataban como dioses en el altar. Ese fue su catecismo. La familia es la primera fuente de valores para el niño.

Aunque es posible que, cuando esa niña crezca, se rebele contra sus padres, desprecie el culto del dinero y se haga «hippy», aun así, no hará más que reaccionar en contra de la educación que ha recibido, y la reacción es tan condicionamiento como la aceptación. Reaccionar es sólo aceptar con el signo cambiado. Al someterse o al rebelarse se está siguiendo (en una dirección o en otra) un mismo camino. Y el dinero es sólo un ejemplo. En etiqueta y en conducta, en política y en religión la primera doctrina se ha recibido en casa. Doctrina que, al imprimirse en una mente virgen, deja impronta privilegiada de larga permanencia.

La influencia de la familia en la formación de la persona es evidente y universalmente reconocida. En *Gestalt* se usa la palabra «introyectar», el Análisis Trascendental habla de «mandamientos paternos», mientras que R. E. T. *(Rational Emotive Therapy)* llama «cintas» o cassettes a las órdenes que hemos recibido de pequeños y continúan actuando en nuestro interior como pautas hereditarias de conducta. Lo importante es caer en la cuenta de que la transferencia de valores se hace de manera inconsciente y precrítica. El niño lo recibe todo, y cree que esa es la única manera verdadera de actuar, mientras que todas las demás son falsas, y quienes las siguen son gente inferior por naturaleza. El niño no cuestiona, no evalúa, no juzga. Este es el camino verdadero, porque es el que seguimos en casa, y mis padres saben lo que se hacen. Fritz Perls describe gráficamente la operación de «introyectar» como «tragar sin masticar». Me he tragado un buen bocado por entero, y ha penetrado en mi cuerpo; pero no lo he masticado, no lo he digerido, no lo he asimilado, no lo he convertido en carne y sangre mías. Está en mí sin formar parte de mí; es un cuerpo extraño dentro de las fronteras de mi organismo. Ese juicio, esa creencia, esa costumbre, esa preferencia saltan automáticamente cuando se presenta el estímulo y me hacen obrar de la manera consabida, pero yo casi ni soy ya responsable de ello. Han activado la cinta y ha sonado la música, eso es todo. Y la cinta la habían puesto allí otros. Es hora ya de revisar la colección de cintas en mi mente para conservar solamente las que de veras quiero conservar, porque las he hecho mías por propia experiencia y convicción. Las demás pueden retirarse. No quiero vivir de prestado.

Una vez fui testigo de una acalorada discusión entre dos amas de casa indias, y el motivo de la discusión era si había que echar jugo de caña de azúcar a la salsa que acompaña al arroz o no. Las dos hablaban con tal energía y convicción que parecía ser cuestión de vida o muerte. Para una de ellas había que echar el jugo, y sin él el arroz no se podía comer, mientras que para la otra sería algo repugnante el mezclar la caña de azúcar con el arroz. La explicación de la discrepancia era bien sencilla. Una de las damas procedía de la provincia de Gujarat, donde se usa el jugo, mientras que la otra venía del Punjab, donde nunca se usa. El ama de casa gujarati había visto toda su vida mezclar el jugo con la salsa del arroz y no podía concebir que se hiciese de otra manera. Si ella se hubiese olvidado del ingrediente al cocinar, habría habido protestas inmediatas en su casa. En cambio, el ama de casa del Punjab nunca había probado tal cosa, y la mezcla le chocaba. No es que una tuviera razón y la otra no. Las dos la tenían. Cada una defendía su propia tradición culinaria. Y ambas proclamaban con la vehemencia de sus argumentos que casi nunca habían comido fuera de casa. El asunto de la caña de azúcar no tenía gran importancia, a pesar de la considerable energía con que aquellas dos mujeres lo debatieron; pero la situación puede volverse seria y hacer pensar cuando no se discuten recetas de cocina, sino principios de conducta. Es importante acordarse de dónde venimos. Podríamos evitarnos muchas discusiones.

No son sólo ideas y hechos los que modelan nuestras mentes, sino el mismo aire que respiramos y la atmósfera en que vivimos. Escuché una vez la siguiente historia de boca de Ravíshankar Maháraj, santo de gran popularidad que vivió hasta los ciento dos años y los amenizó con la cordura de su sentido social y el humor de sus cuentos. Tres mujeres de pescadores en la costa iban todos los días desde su puesto pesquero hasta el mercado del pueblo vecino a vender pescado. Un día, al volver, las sorprendió una tormenta y se refugiaron en una casa junto al camino. El dueño fue muy amable y las invitó a pasar la noche en su casa, ya que el temporal no cedía. Las acomodó en un cuarto con tres camas, y todos se fueron a dormir. Al poco rato, sin embargo, el buen hombre notó que aquellas mujeres se movían inquietas por el cuarto, y fue a preguntarles qué les pasaba. Se las encontró despiertas y agitadas, y le dijeron en contestación a sus preguntas: «No podemos conciliar el sueño. Lo sentimos mucho, pero huele muy mal en este cuarto y no podemos dormir. No podemos aguantar el mal olor». El anfitrión se sintió sorprendido y molesto: «¿Mal olor? ¿En mi casa? Aquí todo está limpio, y encima he puesto esas rosas en vuestro cuarto como adorno. Soy jardinero y me precio de mis flores». Las mujeres cayeron en la cuenta: «¿Flores? ¿Rosas? Sí, eso es. Ese ramo en ese rincón. Apesta. No hay quien pueda dormir aquí».

Cuando Ravíshankar Maháraj contaba este cuento, se sonreía maliciosamente al final y no sacaba conclusiones. Sabía muy bien que había contado un cuento peligroso. El olor del pescado crudo y el olor de rosas frescas. ¿Cuál es el perfume y cuál es el hedor? Depende de la pituitaria. La nariz se guía por los olores que le son familiares desde la niñez y que le clasificaron de entrada como «buen olor» o «mal olor». Para el jardinero, el perfume de sus rosas es placer y orgullo; para la mujer del pescador, el olor penetrante de los peces que trae su marido es plenitud y vida. «Perfume» o «hedor» es sólo una etiqueta que la mente le ha pegado a un olor en sí neutral. Lo malo es que nosotros nos ponemos de parte del jardinero y declaramos que el olor de las rosas es bueno por naturaleza, por esencia, objetiva y definitivamente para todos y para siempre, mientras que con la misma ligereza y dogmatismo definimos que el olor a pescado crudo es repugnante en sí mismo por su propia composición y la misma naturaleza de las cosas. En realidad, no es así. Las etiquetas son arbitrarias. Tenemos, eso sí, pleno derecho a escoger para nuestro entorno los olores que nos gustan y evitar los que nos repugnan; pero haremos bien en recordar que no hay nada nato, objetivo, instintivo, universal sobre la clasificación de los olores.

Ravíshankar Maháraj acababa el cuento diciendo muy despacio, con cariño, con aquel dejo suyo inconfundible de sabiduría eterna: «¿Buen olor? ¿Mal olor? Que lo diga tu candor».

UN CONDICIONAMIENTO EXTREMO

No es difícil ver que todos hemos sido sometidos a un cierto grado de condicionamiento y que nos haría bien el desprendernos de él en cuanto sea buenamente posible. Lo que no vemos tan fácilmente es hasta dónde llega y cuánto profundiza ese condicionamiento, y las proporciones alarmantes que ha adquirido en nuestras vidas. Y mientras no caigamos en la cuenta de la extensión del daño que se nos ha hecho, no nos movilizaremos con todos nuestros recursos para atajar el mal.

Una manera de caer en la cuenta de los daños del condicionamiento es analizar algunos de sus casos extremos. Uno de ellos, por desgracia, lo tenemos muy cerca y vivimos con él día a día. Es el caso del terrorista. La sociedad entera condena como cruel, injusto, inhumano y criminal su oficio de matar gente inocente a sangre fría. Más aún, a toda la gente recta y honrada se le hace imposible entender al terrorista. ¿Cómo puede hacer eso? ¿Cómo puede un ser humano asesinar a mujeres y niños que nada tienen que ver en el asunto, sólo para llamar la atención y ejercer presión por su causa, sea ésta la que sea? La sociedad de nuestros días tiene aún que enfrentarse al problema del terrorismo, y el primer paso es llegar a entender la mentalidad del hombre que mata. Un humorista lo dijo con penosa ironía: Ya hemos explicado la transición del mono al hombre; ahora nos queda por explicar la transición del hombre al terrorista. El concepto clave para este trágico entender es el de «condicionamiento». Profundizar un poco en este triste tema puede ayudarnos a entender mejor a este tenebroso personaje de nuestros días, el terrorista, y con él, también, entender algo mejor esa otra realidad tenebrosa de nuestra propia vida: el terrorista que todos llevamos dentro. Violencia en el centro de la civilización moderna.

En cierta ocasión, un miembro activo de una banda terrorista fue apresado por la policía, y su historia se hizo pública. Era espeluznante, pero no por ello menos aleccionadora. Era un hombre joven, comprometido de corazón con su causa hasta en su expresión violenta de actividades terroristas. El había ayudado a preparar varios atentados sangrientos, pero aún no había tomado parte personalmente en ninguna matanza directa con sus propias manos. En esto, se descubrió que tenía cáncer, y los doctores le dijeron claramente que le quedaba poco tiempo de vida. Cuando lo supo, se fue al jefe de su banda y le rogó le encomendase una acción terrorista directa al menos una vez antes de morir. No quería haber vivido en vano, dijo, no quería morir sin antes haber matado a alguien en la prosecución de la santa causa. Un asesinato al menos justificaría su vida y podrían entonces morir en paz. Para desgracia suya, lo capturaron cuando estaba preparando su primer atentado, y murió de cáncer antes de poder matar con una bomba.

Al leer esa noticia, sentí cómo un escalofrío recorría todo mi ser. Comprendo que un hombre quiera hacer alguna obra buena especial antes de su muerte para aligerar con un gesto de bondad el peso que siempre lleva una vida humana. Puede ir de peregrinación a algún santuario célebre y lejano, puede establecer una fundación para el saber o la caridad, puede construir una iglesia o una biblioteca. Puede desear hacer algo que haga bien a los demás y les lleve a pronunicar su nombre con gratitud en años venideros. Incluso puede llamar a eso la justificación de su vida y sentirse satisfecho con su filantropía generosa. Pero este caso era algo distinto.

Este era otro tipo de deseo, otro tipo de hombre. No se trataba de hacer el bien, sino de matar. Este hombre quiere matar antes de morir, y a eso lo llama la justificación de su vida. Un reguero de sangre. Una herencia de muerte. Una aureola de asesinato. Cuerpos rotos de víctimas inocentes, y sollozos de los que los querían y los echan de menos. Un crimen sin nombre. Una bajeza sin perdón. Una locura sin remedio. Y, sin embargo, para él, para ese hombre citado por el cáncer al fin próximo, esa absurda acción es la que iba a dar sentido y dignidad a toda su vida. Lo que para otros era impensable, era obvio para él; lo que otros rechazaban como malicia absoluta, él lo abrazaba como una noble hazaña. ¿Cómo explicar ese mundo al revés?

Al terrorista le han dicho desde niño que su pueblo sufre una opresión injusta, que ellos son una minoría indefensa ante los poderes que los esclavizan, que tienen el derecho y la obligación de luchar por la justicia y la libertad, que el único camino que les queda es el de la violencia y que, por consiguiente, todos aquellos que, con peligro de su propia vida, abrazan la violencia por el santo ideal son siervos del pueblo y mártires de la causa. Esa es la atmósfera en la que crece el futuro terrorista; ésas son las ideas que oye todos los días, los ideales que se le inculcan. Ese es el condicionamiento o —para usar ya una palabra que he evitado hasta ahora, pero que tiene aquí su justa entrada— el lavado de cerebro que lo marca de por vida. Así es como le enseñan a pensar, a obrar, a reaccionar instintivamente cuando se tocan estos temas. Sus mandamientos son el secuestro y el rapto; sus instrumentos, la metralleta y la bomba. El riesgo de colocar la bomba es un acto heroico, y la matanza de mujeres y niños un justo sacrificio. Así es como lo ve él, así es como lo piensa y como lo entiende, y está convencido de que eso es la verdad, y está dispuesto a dar su vida por ella. Ante su grupo será un mártir. Extraño mártir que mata en vez de ser matado, pero así es como él lo ve. Los secuestradores del avión de Kuwait Airlines en 1988 llamaron a la larga agonía de los pasajeros prisioneros «el vuelo del martirio». Sufrían ellos mismos y hacían sufrir a otros por su causa. Esa convicción les dio fuerzas para el prolongado asedio entre el cansancio y el peligro. Ante sí mismos eran mártires de una misión sagrada.

Otro terrorista iba una vez a poner una bomba en un lugar público donde la explosión hubiera matado a cantidad de gente inocente. Sucedió, en cambio, que la bomba era defectuosa y le explotó en las manos antes de que pudiera colocarla, y fue él solo el que murió. En su parroquia de origen se ofreció la Santa Misa por el descanso de su alma con asistencia de mucha gente, y el párroco en la homilía comparó al terrorista que había muerto «en acto de servicio» con Jesús, que también había dado su vida por sus hermanos. Después de la Misa, una procesión pública religiosa recorrió las calles del pueblo para honrar al terrorista mártir. Otra vez la noticia provocó la indignación de toda persona recta, para quien equiparar al terrorista con Jesús era pura blasfemia. Pero no lo era para los fieles de aquella parroquia. Condicionamiento extremo y casi incomprensible, pero real y de nuestro tiempo. Aquella gente vivía en un mundo distinto y veía con otros ojos. Cada uno es hijo de su propio condicionamiento.

En cierto modo, Jesús mismo nos había ya preparado para esto. Les había dicho a sus discípulos, y a nosotros en ellos: «Llegará un día en que os matarán creyendo que le han hecho un servicio a Dios». Eso es precisamente lo que está sucediendo. Se mata en nombre de Dios, del pueblo, del grupo, de la causa. Se llega a matar con buena conciencia subjetiva, por mal formada que esté esa conciencia. Si hay una regla clara y universal y evidente en el código de conducta social, es que hay que respetar las vidas de los demás; y aun esa regla queda borrada por la nube que cubre la vista de esos fanáticos. Algunos de ellos creen de verdad que le hacen un servicio a Dios cuando matan a gente que ellos, en su tribunal sin apelación, han decidido que deben morir. Es extraño, pero es verdad. Y llegan a portarse así porque su mentalidad, sus prejuicios y su condicionamiento les han llevado a creer que eso es lo que deben hacer. Deploramos con toda el alma esa actitud, pero en algunos casos al menos no podemos negar su honestidad.

Una y otra vez he oído decir a gente buena y pacífica, cuando se habla de terrorismo o se comentan las noticias del último atentado sangriento, con justa tristeza e indignación: ¿Cómo pueden hacer eso? ¿Cómo pueden matar a un hombre por la espalda a sangre fría? ¿Cómo pueden poner una bomba en un supermercado? ¿Cómo pueden secuestrar a un hombre meses enteros? ¿Cómo pueden ser tan malvados, tan perversos, tan inhumanos? ¿Cómo puede haber tanta maldad en el corazón humano? No nos cabe en la cabeza cómo una persona en sus cabales pueda obrar de esa manera tan absurda.

Al oir eso, pienso, con la humildad que atempera la consideración del mal en la vida del hombre, que la acción del terrorista, a pesar de ser, como es, deplorable y reprobable en todo sentido, no por ello deja de ser comprensible. Y en comprenderla, creo, está la única esperanza de llegar a solucionar el sangriento problema, si es que algún día ha de encontrar solución en el atribulado mundo en que vivimos. El terrorista es lógico a su manera, por mucho que a nosotros nos cueste decirlo. El no hace más que sacar las conclusiones de las premisas que han grabado en su mente, no hace más que actuar según el condicionamiento que ha recibido. Es verdad que ese condicionamiento no debería haberse producido (y de eso precisamente se trata); pero, una vez que se ha producido, su mecanismo funciona con ciega e inevitable precisión. Nada ganamos con negarnos a entender la situación y decir que es absurda. Penosa sí que es, pero precisamente absurda no. Más ayudaría a buscar una solución si dijéramos algo así como lo siguiente: Lamentamos plenamente la violencia; entendemos las circunstancias y prejuicios que han llevado a este hombre a practicarla; condenamos su acción, pero al mismo tiempo caemos en la cuenta del proceso que ha llevado a este resultado, y por ahí nos esforzamos en encontrar una posible solución. Esta solución sería atacar el condicionamiento para que, así, desaparezcan sus efectos. Cómo ha de hacerse esto es otra cuestión; pero lo que ha de quedar claro es que sólo con condenar el hecho y decir que no lo entendemos, no ganamos nada. El comienzo de una solución está en caer en la cuenta del papel que el condicionamiento juega en la vida del hombre. El terrorista es posible que no sea un malvado, sino sencillamente un hombre consagrado a una causa. Quizá no hace el mal por hacerlo, sino por llegar penosamente a un ideal, por equivocado que éste sea. Sentimos con toda el alma el sufrimiento humano que él causa, pero entendemos su postura y comprendemos sus motivos, aunque a nosotros nos sean inaceptables. Es verdad que también motivos menos nobles y ganancias egoístas se mezclarán en el caso del terrorista, pero también se mezclan en toda otra acción humana. Lo que deseo quede claro es que la respuesta a la violencia no está en proclamar que es absurda, sino en entender de dónde viene.

Es evidente que no trato de justificar en manera alguna el terrorismo. Lo que sí he intentado es aclarar la fuerza enorme que tiene el condicionamiento y el daño que pueda causar cuando es llevado al extremo. Cuando se coloca a un hombre en un clima mental y un entorno cultural que llevan a una cierta conducta, acabará por abrazarla, por absurda y penosa que ella sea. Para él ha dejado de ser absurda, porque la contempla desde otra perspectiva.

La violencia es el máximo crimen que el hombre puede cometer sobre la tierra. Sin embargo, esa misma violencia puede convertirse en meta consciente cuando el condicionamiento correspondiente ha preparado a la mente para que la acepte. Este extremo brutal puede revelarnos el poder que el condicionamiento ejerce sobre la mente humana, y así motivarnos para entender mejor su funcionamiento y guardarnos de sus peligros.

EL SECRETO DE LA MODA

Otro tipo de condicionamiento, no tan agresivo pero mucho más extendido: la moda. La necesidad de ajustarse a los demás, de vestir de un modo concreto, no porque a mí me guste, sino porque todo el mundo viste así; llevar un peinado especial, no porque ese estilo me agrade a mí, sino porque es el estilo de aquellos con quienes vivo y por quienes quiero ser aceptado. Aunque, desde luego, bien pronto comenzaré a decirles a todos, y a mí mismo el primero, que ese estilo me gusta muchísimo, que es el más bello que se haya inventado jamás, tan distinto de esas ropas pasadas de moda que otros llevan y que nosotros mismos llevábamos sólo hace un año. Y así nos encontramos con el curioso fenómeno de un grupo de gente que se viste de una manera que a nadie le gusta, para conseguir cada uno de ellos que lo acepten los demás. Una penetrante caricatura pinta a dos chicas jóvenes delante de un escaparate en que se exhiben los modelos de la próxima temporada, mientras ella se dicen una a otra con desesperación en el rostro: «¡Fíjate qué cosas más horribles vamos a tener que llevar este año!» La caricatura no muestra lo que sigue a esa escena. Las dos entran en la tienda y se compran los modelos.

La moda se impone, porque la gente, y en particular la gente joven, tiene una necesidad imperativa de pertenecer a su grupo, de ser aceptados por sus iguales, de encontrar apoyo en ellos, de no sentirse solos en la sociedad. Ahora bien, para pertenecer a un grupo hay que hablar, obrar y vestirse como los del grupo hablan, obran y se visten. Esa es la conducta esencial para el «fichaje». Pórtate como todos se portan, y ya está. Te gustará o no portarte de esa manera, pero ése es el precio que has de pagar para entrar en el club obligatorio. Lleva amarillo si todos llevan amarillo (y si no te gusta el color, ya acabará gustándote), y déjate el pelo largo si todos se lo dejan. La moda es el pasaporte del joven. El documento para ser aceptado. El sello que certifica ante el mundo entero, y sobre todo ante la persona que busca apoyo: tú eres de los nuestros, porque vistes como nosotros, hablas como nosotros y bebes como nosotros. Seguir la moda da seguridad al joven (seguridad falsa y aparente, pero verdadera a sus ojos), y el joven necesita a la desesperada esa seguridad en el solitario mundo que le aguarda. Por eso la moda impera. Lleva vaqueros cuando todos llevan vaqueros, y cinturones anchos cuando todos llevan cinturones anchos. Entonces sí que puede ese o esa joven mezclarse con la multitud, ser uno o una más en el grupo, desaparecer en el anonimato seguro de cientos de personas que llevan vaqueros y cinturones anchos y pelo revuelto. Merece la pena pagar el precio para llegar a pertenecer al partido de la juventud de pleno derecho. El joven puede ya descansar con la protección garantizada del grupo uniforme.

Los árbitros de la moda saben esto muy bien o, mejor dicho, viven de ello. Cambian la moda cada año para que los vestidos del año pasado no valgan para éste y surja la impaciencia por averiguar cuáles van a ser las pautas de la próxima temporada, para adoptarlas a toda prisa. Hay que renovar el pasaporte, y la renovación cuesta dinero. Cómprate vestidos nuevos. Deshazte de los usados. Adelante con el grupo. No te quedes atrás, no te quedes solo. Esa es la catástrofe que hay que evitar a toda costa: quedarse solo. Por eso, sigue la marcha. Compra la última moda. Ponte ese traje con valor. Aprende a pronunciar con aplomo la última palabrota. Así se hace. Ya estás dentro. Cuesta lo suyo, pero merece la pena. Identifícate con el grupo, aunque el precio que hayas de pagar sea el perder tu propia identidad. Tú ya no eres tú, pero ya eres del grupo.

Chesterton observó el juego ya allá en sus tiempos y en su país. Este breve diálogo tiene lugar en su obra *El vampiro de la aldea:* «El doctor: 'Bueno, ya sabe usted que yo no soy precisamente muy moderno. No me gustan todas esas músicas y jaleos de nuestra atrevida y bullente juventud'. - 'Lo malo es que a nuestra atrevida y bullente juventud tampoco le gustan', dijo el Padre Brown, 'ésa es la verdadera tragedia'». Y el humorista George Mikes, en su libro *Cómo hacerse guru,* observa con su habitual perspicacia y humor: «Tomemos un miembro de la banda de 'Angeles del infierno', por escoger una entre tantas. El se cree que se ha declarado rebelde. Al contrario, él se adapta y conforma más que nadie. El ha fracasado, o teme fracasar, en la sociedad convencional y, desde luego, le echa la culpa de ello a la sociedad. Entonces, lo que hace es buscarse otro tipo de sociedad. Dice que él desprecia la sociedad convencional, sus reglas y su estrechez de miras, pero se busca por otro lado, a la desesperada, la aprobación de otra sociedad, de una secta aún más estricta y exigente. No es que se afeite la mitad del cráneo y se embadurne de azul la otra mitad porque le agrade ese peinado. Lo hace porque tiene que hacerlo para obtener la aprobación de otros a quienes les fastidia tanto como a él el dejarse la cabeza de ese modo; pero tienen que hacerlo, porque ellos, a su vez, quieren obtener su aprobación. Cada uno hace, por agradar a los demás, algo que no le agrada a ninguno de ellos. Ese muchacho puede ser un alma bendita, pero tiene que ir haciendo destrozos y aporreando cabezas, porque ése es el ritual de su clan. En tales ocasiones, al menos al principio, no es que se vuelva loco o pierda el control, sino, sencillamente, que está siguiendo el ritual, así como el cantar un himno o el brindar por los novios son rituales en otro tipo de reuniones. Así es como se crean muchas sectas de increyentes por todo el mundo. ¡Pobres Angeles del infierno! Están tratando de convencerse a sí mismos de que son personalidades fuertes que desafían a la sociedad, mientras que en realidad son niños pequeños llorando por las caricias de mamá».

La sociedad es cruel en su exigencia de sumisión absoluta. Sométete y te salvarás; rebélate y perecerás. Nadie se escapa de sentir esa presión, pero los que más la sienten, porque son los más inseguros y vulnerables, son los jóvenes. Quizá por eso dijo Bertrand Russell: «Los jóvenes nunca son auténticos». La presión de sus iguales para que se sometan al modelo del grupo no les permite lograr autenticidad personal. Aunque, en plena honradez, tengo que dar también la segunda parte de la cita de Russell, que me intranquiliza un poco porque me toca de cerca. La cita entera es: «Los jóvenes nunca son auténticos. Los solteros casi nunca». Los solteros pertenecen con frecuencia, como es mi caso, a un instituto religioso, y también ahí la presión del grupo puede apisonar la autenticidad del individuo. El grupo ofrece seguridad y exige como precio el recortar la personalidad. El precio puede ser demasiado elevado.

Una vez vi en televisión una serie de breves entrevistas a jóvenes de ambos sexos según salían de un concierto de rock. Habían estado allí cuatro horas (sin contar el tiempo de espera) de pie al aire libre, miles y miles ante un conocido grupo de «rock duro», y ahora salían, por fin, tras el enorme espectáculo. Salían con caras extáticas, miradas de otro mundo, sonrisas disparadas y un vocabulario que forzaba los límites de la palabra hablada. Uno de ellos resumió la gloria de aquella tarde en estas palabras: «Era maravilloso vibrar a una con todos, perderse en una multitud de miles de personas que sentían todas lo mismo y cantaban lo mismo y se movían lo mismo todas juntas al mismo tiempo». Profundo sentir. La seguridad vivida, aunque sólo por cuatro horas, al ver que todos sienten lo mismo y hacen lo mismo en la enorme multitud. El olvido feliz de sí mismos, porque allí todos eran uno. La uniformidad total de un mismo ritmo y una misma música. El ruido, los focos, la espera y el cansancio merecían mil veces la pena si, al fin, podía uno sumergirse en la anonimidad de la masa sin preocuparse por su existencia privada. Toda la inseguridad de la juventud desaparece durante cuatro horas gracias a la potencia de unos altavoces y unos focos de luz. Y deja el recuerdo que hará tolerable la incertidumbre de la lucha diaria, hasta que otra ocasión semejante venga a aligerar la vida de su carga permanente de soledad.

Los que ya no son jóvenes confiesan que no entienden cómo los jóvenes pueden disfrutar con tales espectáculos, y añaden que ellos no podrían aguantar ni cinco minutos el ruido y las luces de un concierto de «rock duro». Tampoco yo lo aguantaría, aunque sólo fuera por consideración a mis tímpanos, pero sí creo que puedo entender hasta cierto punto por qué la gente joven va y disfruta con el alboroto. Mientras están allí, quedan libres de la preocupación de definirse como personas independientes, ya que quedan sumergidos en el ritmo unísono de la muchedumbre. Allí consiguen hacer lo que más les gusta hacer para sentirse aceptados, ayudados, seguros: someterse. La paradoja del joven que clama por la libertad es que ansía perderla en el anonimato del grupo. Allí todos se balancean al mismo tiempo, en obediencia jurada al liderato supremo de la estrella del rock. Ellos hacen lo que todos hacen, y todos hacen lo que ellos hacen. Allí encajan, pertenecen, se ajustan, se aseguran. Y ése es el más fuerte deseo del corazón inconstante del joven de hoy.

A los mayores nos resulta fácil hablar de la moda y los jóvenes y sus maneras de vestir y cantar, y nos sentimos seguros al comentar el efecto condicionador que la moda ejerce en los jóvenes. Tal seguridad no es justificada. De hecho, la moda se hace notar no sólo en vestidos y canciones, sino en ideas y tareas; y no sólo entre los jóvenes, sino también entre los mayores, en toda actividad donde nuevas maneras de pensar y de hacer surgen y acaparan la atención y ejercen su atracción. La satisfacción de saber que se está al tanto de todo y se está haciendo lo último. Estamos tan condicionados por lo que los demás dicen y hacen que hace falta un fuerte y consciente esfuerzo para conseguir cierto grado de independencia y neutralidad. Cuando veamos a jóvenes seguir la corriente y critiquemos su servidumbre ante el grupo y su obediencia a la moda, haremos bien en recordar que también a nosotros nos alcanzan influencias similares y que no nos es fácil liberarnos de ellas. ¿Quién puede llegar a ser de veras original, distinto, creativo, independiente, en el monótono mundo de hoy? La empresa es ardua, y el reto por ello tanto más valiente.

EL VALLE DE LOS CIEGOS

H. G. Wells adaptó en uno de sus cuentos una antigua leyenda del Perú. Allí cuentan la historia de un grupo de sus antepasados que, hace catorce generaciones, se retiraron a un valle cerrado a una gran altura en los Andes, y allí vivieron por su cuenta, lejos del resto del mundo civilizado. Quizá por efecto de la altura, quizá por una enfermedad contagiosa, o quizá por ambos factores combinados, aquella gente fue perdiendo gradualmente la vista, hasta que todos los habitantes del valle quedaron completamente ciegos. Continuaron su vida tranquilamente, sin embargo, ya que al perder la vista desarrollaron más los demás sentidos y se adaptaron a la situación. Oían cuándo alguien se acercaba, y reconocían a la persona por el sonido de sus pasos; podían incluso adivinar, antes de que el otro hablase, si estaba de buen o mal humor por el tono de su respiración y el latido de sus venas. Seguían el camino con el roce de sus pies, y fijaban la madurez de la cosecha por la fragancia de los campos. Era un pueblo feliz. Ocurrió, sin embargo, que su tranquilidad se vio amenazada por un suceso inesperado. Un aventurero solitario se perdió por los Andes, llegó al Valle de los ciegos y, llevado por la necesidad de sobrevivir, estableció contacto con aquel pueblo. Pronto cayó en la cuenta el explorador de que él era el único con vista en la región, y decidió quedarse para ayudar con su vista a los que no la tenían y mejorar su género de vida. Imaginó que él mismo llegaría a ser el jefe del grupo, ya que en tierra de ciegos el tuerto es rey. El tenía dos ojos sanos y vista perfecta, y quiso comenzar por demostrarles las ventajas que eso tenía. Pero no resultó tan fácil como él se había imaginado. Se encontró, no sin gran sorpresa y desencanto, que no los podía convencer. Preparó pruebas, pero no resultaron. Les dijo que le rodearan en círculo, y él se escaparía aprovechando con su vista cualquier hueco entre ellos; pero tenían un oído tan agudo que cerraban las filas en cuanto se acercaba, y no consiguió atravesar el cerco. Le ganaban a correr en los campos, pues sus oídos adivinaban el camino antes que los pies del otro, y recogían los frutos de los árboles más rápidamente que él, ya que su tacto y olfato los guiaban a la fruta madura con mayor rapidez que su vista. De hecho, todo le salió al revés, y llegaron a considerarlo como a un enfermo y le dijeron sin ambages que lo que él llamaba «vista» era un defecto que había impedido que sus sentidos se desarrollaran con normalidad. Eso le supo muy mal, pero no tuvo más remedio que callarse. Para ellos, él era un minusválido, y como a tal lo trataban. Entretanto, nuestro explorador se había enamorado de una de las muchachas del pueblo. La chica era ciega, como todos, pero él pensó que, una vez casados, podría llevarla a un sitio civilizado, donde los médicos podrían devolverle la vista. Pero no todo salió como él esperaba. Cuando le declaró su amor a la muchacha y le propuso casarse, ella le contestó: «Yo también te amo a ti y quiero casarme contigo. Sólo hay una dificultad. He consultado a los ancianos del pueblo, que son los que rigen nuestra sociedad, como sabes, y ellos me han dicho que no hay ningún problema, salvo que, como tú sabes —y perdona que lo mencione, pero lo hago por el bien de los dos, y espero que me comprenderás—, tú tienes una enfermedad en los ojos que ha atrofiado tus sentidos; y a mí, desde luego, eso no me importa nada, pero ellos dicen que, si te casas conmigo, la enfermedad podría propagarse entre nuestra gente, y temen que todos queden infectados y pierdan la salud. Ahora, eso tiene remedio; y, ya que tú me quieres de veras y te fías de mí, estoy segura de que no dudarás en aceptarlo. Hay cirujanos muy hábiles entre nosotros que pueden operarte de los ojos, y quedarías como una persona normal, y podríamos casarnos enseguida. La operación no es dolorosa, y el resultado está garantizado. Entonces tú serás como uno de nosotros, te podrás desarrollar plenamente como un hombre sano, y nos casaremos y seremos felices. Están ya avisados para operarte mañana. Dime, por ti y por mí, ¿estás dispuesto?» El explorador se pasa la noche pensando. Ha entendido perfectamente el alcance de las palabras de la chica. Quieren dejarlo ciego. La operación es ni más ni menos que quitarle los ojos. Quieren que sea un ser «normal», y normal para ellos quiere decir ciego como son todos ellos. Llega a ver su punto de vista, ya que ha comprobado mil veces lo bien que funcionan, a pesar de carecer de vista, y además él está profundamente enamorado de la chica. En la oscuridad de la noche, cuando vista y ceguera se confunden en una sombra común, él se prepara al sacrificio y acepta la prueba de su amor. Se someterá a la operación. Pero luego, al amanecer, los primeros rayos de sol comienzan a jugar con las flores del valle y a pintar el lienzo secuestrado del valle encantado. La belleza de sus cerros, sus prados, su río, sus árboles, despierta de repente con el encanto mágico de la naturaleza virgen al romper el día. El hombre mira a su alrededor, contempla despacio el milagro del vivo paisaje, intenta por un instante decir adiós a todo aquello…, pero no puede. No será ciego. Despierta por fin del letargo de su romance, encuentra esta vez en su desesperación fuerzas para burlar la vigilancia de los guardias y se escapa, del valle cerrado, al mundo de vida y color que era suyo y debería serlo siempre. Esa es la historia del Valle de los ciegos.

La historia tiene moraleja. La humanidad es ciega. No que los hombres no se las arreglen para vivir de alguna manera; sí que pueden andar a tientas por los caminos de la vida, sembrar sus cosechas y probar sus frutos. Pero son ciegos. Se les escapan la belleza y el color, el sentido de la vida y la fe en la eternidad, el azul del cielo y el verde de los campos, y las flores y las hojas y los pájaros y las nubes. Los hombres son ciegos y han adaptado a su ceguera su modo de vida. Sus pensamientos y su conducta, sus principios y sus valores, son los de ciegos. Valdrán para funcionar de alguna manera, pero quedan esencialmente limitados por la carencia de vista. No hay visión. Y la tragedia empieza cuando, en esa sociedad ciega, un hombre abre los ojos y se atreve a ver. Al instante se convierte en una amenaza para la sociedad, porque ve lo que los demás no ven, habla de cosas que ellos no entienden, hace cosas que ellos no pueden imitar, es diferente, es extranjero, es un enfermo. Su vista es un defecto, y hay que extirpar el tumor. Hazte como uno de nosotros, y todo te irá bien. Podrás casarte con la mujer a quien amas y vivir feliz con ella para siempre. Sólo tienes que pagar un pequeño precio, y eso es para tu bien. Una pequeña operación. Sin dolor y sin riesgo. Cierra los ojos para siempre. Deja de ver, deja de pensar, deja de ser independiente, deja de ser tú mismo. Entrega tu vista, sí, tus puntos de vista, tu libertad, tu vida. Acomódate al grupo. Sé como los demás. Entonces el grupo te tomará en su regazo, te protegerá, te defenderá, te respetará, te dará seguridad y honores. No tendrás que preocuparte de nada por el resto de tus días. Sólo pedimos que nos entregues los ojos. Sacrifica la vista. Abandona tus ideales. Abandona tu visión de la vida. Firma nuestro manifiesto y jura nuestra constitución. Quedarás para siempre tranquilo y feliz. Pero no se te ocurra volver a abrir lo ojos. Si lo haces, sentirás la tentación irresistible de escapar del valle.

El tema parece repetirse en distintas literaturas, y se me ocurren varias que, de tiempo, origen y estilo bien distintos, encuadran, sin embargo, la misma parábola. *Juan Salvador Gaviota* nos presenta a una gaviota que quiere volar más alto y más rápida y más lejos que las demás, lo que le hace enfrentarse a la oposición, crítica y cinismo de las demás gaviotas del acantilado. Las gaviotas de más edad no pueden tolerar las disparatadas aventuras de la atrevida joven que busca el vuelo instantáneo. *El plano, un romance en muchas dimensiones,* de Abbot, cuenta las peripecias de un triángulo emprendedor en un mundo de dos dimensiones. El triángulo presiente que hay una tercera dimensión, salta del plano hacia arriba, explora con alegría el mundo de los cuerpos sólidos y vuelve al plano a proclamar, ante un público incrédulo de círculos y polígonos, las maravillas de peso, volumen y perspectiva que ha observado en el espacio real de tres dimensiones. La reacción del público es la misma de todas estas historias: primero le dicen que está loco; luego, al insistir él, le amenazan; y al final lo meten en la cárcel como un peligro para la sociedad. Y es verdad. No hay nadie más peligroso que quien ha visto la verdad. Hay que hacerle callar a toda costa. Primero desacredítalo, y después mételo en la cárcel. Eso le pasa a nuestro animoso triángulo. En *El escape de Logan*, novela, película y serie de televisión, el escenario pasa a la ciencia ficción, en donde los habitantes de una ciudad burbuja viven con todo lujo y sin preocupación alguna, con la única ley de acabar la vida a los treinta años en el alegre carrusel de la muerte. Logan descubre que la vida no tiene por qué acabar a los treinta; descubre, de hecho, a un viejo centenario que vive feliz fuera de la burbuja-cúpula de la ciudad, y vuelve con él y con la buena noticia de la liberación de la muerte a los treinta para todos sus conciudadanos. Les divierte su historia, se ríen de él, no le hacen caso y, cuando él, desesperado, se enfurece y comienza a soliviantar a los oyentes, llega la policía estatal y quieren matarlo; pero en este caso él logra escapar y liberar a la ciudad de la muerte a los treinta. *El patito feo* es el cuento encantador del huevo de pato empollado por la gallina entre sus propios huevos, con los subsiguientes y cómicos esfuerzos de la gallina para conseguir que el extraño ejemplar que de aquel huevo salió se porte y se parezca a lo que un buen pollo de gallina debe ser. *Los vestidos del emperador* nos descubre que sólo la inocencia espontánea de un niño inocente puede romper la conspiración unánime de una sociedad conformista. Y aun *El principito* nos trae un visitante encantador desde un pequeño planeta, a quien se le hace muy difícil entender al hombre de negocios que compra más estrellas para tener más dinero para comprar más estrellas para tener más dinero…, al farolero que se pasa el día encendiendo y apagando la farola sin beneficio de nadie y sólo por cumplir una orden obsoleta, al rey que gobierna a súbditos que no existen; hasta que el propio principito ha de morir de muerte inevitable para escapar de este planeta en el que no hay sitio para él. Siempre la misma historia de una sociedad anquilosada e intransigente en la que quien no se acomoda al molde previsto es un bicho raro y hay que deshacerse de él. La historia del principito tiene ecos evangélicos en el triste presentimiento de su muerte inocente. Jesús tampoco encajó en la sociedad de su tiempo.

RIE CUANDO TE DIGAN

El siguiente experimento se ha llevado a cabo en diferentes ocasiones con sujetos distintos y con los mismos resultados. Veinticinco personas se reúnen en un salón donde se les indica que deben mirar con atención los objetos que aparecerán en la pantalla que tienen delante, y decidir, de cada dos objetos que aparezcan juntos, cuál es el mayor o el más largo o el más alto de los dos. Bien sencillo. La trampa está en que, de esos sujetos, veinte están «conchabados» de antemano para que, cuando dos objetos aparezcan en la pantalla y se discuta abiertamente en el grupo cuál es el mayor, ellos digan con plena convicción que el mayor es el que en realidad es menor, y hagan que esta opinión aparezca como general y espontánea. Los otros cinco inocentes no saben nada de lo tramado, y se supone que han de juzgar libremente según lo que les parezca. Se proyectan dos línea en la pantalla, de las cuales la línea A es claramente más larga que la B. Pero, cuando el grupo comienza a comentar, los veinte que estaban de previo acuerdo van diciendo, cada uno a su manera, que la línea B es más larga que la A. Han ensayado los comentarios, de modo que les salen decididos y convincentes. Eso hace que los cinco independientes comiencen a dudar. Parece que nos engaña la vista, pero, sí, a pesar de todo, la B es más larga que la A. Cuando todos lo ven tan claro, ¿quién soy yo para decir lo contrario? Sí, sí, no cabe duda. Está bien claro. Menos mal que he escuchado bien a los demás antes de aventurar mi opinión. Vamos a lo seguro. Nadie quiere arriesgarse a hacer el ridículo, y así todos se cubren, siguen a la mayoría y firman el veredicto común. Cuando se vota en voz alta, y los veinte confabulados van diciendo que la línea B es más larga que la A, siempre resulta que los otros cinco también siguen la corriente y dicen que la B es la más larga, en contra de lo que por dentro sienten. La presión del grupo llega a tener más fuerza que la convicción personal del individuo.

¿Qué sucederá cuando, no ya veinte personas, sino la sociedad entera, y no en una sesión, sino a lo largo de toda la vida, estén repitiendo que la línea B es más larga que la A? ¿Y qué sucederá cuando ya no se trata de líneas y segmentos, cuya longitud puede medirse y compararse con exactitud, sino de ideas y opiniones que pueden representarse de mil maneras y pueden contemplarse desde mil puntos de vista distintos? La convicción personal es entonces mucho más débil, y puede abandonarse con mayor facilidad a favor de la opinión más común y más segura. Cuando todo el mundo dice una cosa, es difícil que una persona concreta se atreva a decir otra.

Algunas series de humor en televisión usan un truco muy sencillo para asegurarse de que los que vean el programa se rían cuando tienen que reírse, y a nadie se le escape el hecho fundamental de que se trata de un programa muy divertido. Cuando alguno de los personajes en la pantalla dice algo que los directores del programa consideran que tiene gracia, suena en el fondo una risa de un grupo invisible de «reidores» profesionales que se ríen en el momento que hace falta y con la intensidad y duración que el chiste en cuestión requiera. En escena puede que haya sólo dos personajes, pero los anónimos animadores andan ocultos por algún rincón y no fallan en su jovial y ruidosa obligación de reir en voz alta cuando lo pide el diálogo. A uno le queda la negra sospecha de que la risa viene directamente de una cinta que alguien activa apretando un botón en el momento oportuno, pero el resultado, de todos modos, es el mismo, y su propósito evidente. Se trata de decirles a los televidentes cuándo tienen que reírse.

Un día estaba yo viendo un programa de ese tipo junto con un grupo de amigos. El programa era en inglés, pero mis amigos no eran ingleses, y algunos de ellos tenían cierta dificultad en seguir los detalles del diálogo. Aquel día caí yo en la cuenta de lo útil que resultaba el truco de la risa de fondo. Gracias a él los espectadores sabían cuándo tenían que reir, y así podían reirse a gusto aun cuando no hubieran captado el chiste. Eso era una gran ayuda para no quedar mal. Nadie quería quedar en evidencia y dejar de reir cuando era obligado hacerlo. Nadie quería delatar el hecho de que no dominaba el inglés y se le escapaban las sutilezas del humor británico. Y allí era donde la risa de fondo resultaba tan útil. Todo lo que uno tenía que hacer era fijarse cuándo comenzaba la carcajada, darse por enterado y reirse inmediatamente con todas sus ganas. Hasta alguien que no supiera inglés podía disimular perfectamente. El sistema funcionaba a las mil maravillas. Todos se reían exactamente cuando había que reirse, y durante el tiempo exacto en que había que hacerlo. Sólo de vez en cuando, algún nervioso se impacientaba y se reía antes de tiempo, o prolongaba su carcajada más allá del límite oficial marcado por la risa de fondo. Semejante fallo lo notaban enseguida todos los demás, y se hacía un silencio momentáneo para corregir al culpable. Pero, en general, el método resultó un éxito. Hizo posible que todos vieran el programa con la conciencia tranquila, bajo la seguridad de la risa controlada. Nos es lícito esperar que los técnicos de la televisión descubrirán algún día un truco similar para los programas trágicos y nos avisen a tiempo cuándo tenemos que llorar, con lo cual podremos ver la televisión sin preocupación alguna. Sigue las indicaciones y llora cuando te digan que llores, y ríe cuando te digan que rías. La «caja lista» dominará entonces nuestras vidas con eficacia total, no sólo diciéndonos lo que tenemos que ver, sino también cómo tenemos que reaccionar. No hay más que pedir.

Me estoy permitiendo una amable sátira de la sociedad moderna y su capacidad de sumisión. Veo un símbolo y figura de nuestros tiempos en otra máquina que también se ha hecho indispensable en la vida moderna: el Xerox. La fotocopiadora. Exacta y rápida. Adorno esencial de toda oficina. Y, para quien no puede permitírsela, la tienda a la vuelta de la esquina. El invento es relativamente nuevo. Recuerdo los tiempos en los que una copia significaba un papel carbón en la máquina de escribir, o un proceso pringoso y latoso en una multicopista. Ahora sólo en nuestra vecindad hay ocho tiendas con copiadoras modernas que ofrecen servicio a precios de competencia. Y siempre están llenas. Entra y sal. Entrega el original y di el número de copias. Cuantas más copias hagas, más barato te sale. Haz algunas de más, por si acaso. Todo son facilidades. Las copias quedan mejor aún que el original. Y la sociedad de hoy pide copias de todo. Documentos, originales, planos, cuentas, manuscritos, actas, registros. Todo hay que copiarlo, guardarlo, multiplicarlo, distribuirlo. Vivimos en un mundo de burocracia, y la fotocopiadora es el símbolo e instrumento de esa nueva civilización. La esencia de la burocracia es hacer que todos sigan un mismo patrón. El archivo, la carpeta, el expediente, el precedente. Haz hoy lo mismo que se hizo ayer. En otras palabras, copia el pasado. No te arriesgues a hacer algo nuevo. Repite lo que se ha hecho siempre y, si no lo sabes, pregunta. Siempre lo sabrá alguien y te lo dirá. En toda oficina hay un empleado antiguo que sabe todo lo que se hizo antes en un caso semejante, y todos le hacen caso para estar seguros. Asegúrate tú también. Saca tu vida de la copiadora. Es barata y limpia. La salvación está en la repetición. Y el resultado está garantizado. El hombre de la tienda te hará enseguida otra copia sin cobrarte, si la primera no sale bien.

Muchos de nuestros principios, nuestra conducta, nuestras creencias, nuestra enseñanza, han salido directamente de la copiadora. Fiel reproducción. Si un estudiante copia en un examen usando una «chuleta» que se saca del bolsillo, y lo sorprenden, es suspendido. En cambio, si copia en su mente de la página que se ha aprendido de memoria, le dan buena nota. Sin embargo, el proceso básico es el mismo en ambos casos: pasar de una hoja de papel a otra. Vivimos en la era de las copias. Las obras maestras originales se exhiben en los museos del mundo. Todo lo que llega a nuestras manos son copias, y copias de copias. Ya hay máquinas Xerox en color también.

Los ordenadores van invadiendo un campo tras otro de la vida pública y la hasta ahora privada, y con ello la vida del hombre sobre el planeta se está haciendo más mecánica cada día. Los ordenadores son, al fin y al cabo, máquinas, y la máquina es instrumento de repetición. Quien se conforme con esa repetición hará las paces con la máquina y vivirá sin sobresaltos en un mundo dominado ya por la máquina. Los hombres del tiempo que sigue se adaptarán más y más a patrones fijos y caminos trillados. Eso traerá seguridad y comodidad. Amanece la era del estereotipo. Los robots liberarán al hombre de tareas serviles, pero le harán pagar un alto precio. Para funcionar bien en una fábrica, y eventualmente en una casa llevada por robots, el hombre tendrá que hacerse también algo robot. Ese es el mayor peligro que hoy amenaza al verdadero progreso de la humanidad. Pérdida de independencia en un mundo de máquinas.

La esperanza y el reto es que dentro de un universo mecanizado siempre habrá individuos animosos que escaparán a la maldición común por el camino de la aventura personal. Los aventureros del pasado exploraron tierras vírgenes y elevadas cumbres: los del futuro explorarán con mayor riesgo y mejor emoción las tierras vírgenes de la personalidad y originalidad y las cumbres solitarias de la independencia en la existencia. En medio de la rutina de un vivir monótono, habrá quienes busquen eternamente la expresión nueva de una vida que siempre es diferente. Esos serán los profetas del futuro.

ODRES NUEVOS

Un tacto y una prudencia especial se requieren para aplicar al terreno de la religión el principio de libertad del pasado que voy explicando aquí. Aunque es verdad que nuestra experiencia religiosa queda condicionada por el tiempo, lugar y familia en que nacemos, también es verdad que la voluntad de Dios para mí ha quedado manifestada por esas circunstancias y, en consecuencia, no puedo ser indiferente a mi primera educación y formación. El amplio principio que he indicado para un contexto general vale también aquí. Libertad del pasado no significa en modo alguno renegar del pasado o rechazarlo, sino filtrar con toda responsabilidad y libertad mis ideas de ahora para discernir con sinceridad plena cuáles se han hecho mías de verdad por convicción personal y genuina internalización, y cuáles se me han quedado externas y vacías. También en religión hay que distinguir entre el mensaje esencial y los modos accidentales que ha adquirido al transmitirse. Aun dentro de una misma religión y de la misma rama de una religión, los usos cambian y la expresión de una misma verdad se va refinando a través de las edades. Este proceso de purificación tiene lugar en toda institución religiosa en el curso de los siglos, y en la persona creyente en el curso de su propia vida. Este crecimiento auténtico ayuda a la persona a entender mejor y vivir más a fondo sus convicciones religiosas.

Tal proceso no es fácil, y la actitud de ánimo que supone puede resultar costosa de aceptar. El temor a apartarse de la tradición y la necesidad de asegurar la continuidad llevan más bien a repetir ritos y conservar fórmulas, buscando la seguridad en la repetición, más que el avance en la innovación. La institución religiosa ha de ser prudente y cautelosa cuando se trata de aceptar cambios, y eso hace que muchos en ellas miren al pasado más que al futuro. Los profetas lo han pasado mal de ordinario a manos de gente religiosa, mientras que a los predicadores tradicionales se les escucha con placer y se les honra con gratitud.

Hay un fenómeno en nuestros días que puede ayudarnos a entender, precisamente por sus excesos, los peligros de la devoción organizada con buena intención por parte de muchos, pero con no tan buen consejo por parte de algunos. Me refiero a las sectas. Han surgido como por encanto en Oriente y Occidente y están causando ansiedad a quienes se preocupan por los verdaderos valores religiosos. En tales sectas la fidelidad a un «maestro» se valora sobre toda otra virtud, y a veces la libertad intelectual del discípulo se sacrifica a una mal entendida lealtad. Esta tendencia, llevada a extremos en las sectas, puede encontrarse en menor grado en personas piadosas, y tal actitud podría a veces retrasar el crecimiento espiritual de la persona. Círculos religiosos son preferentemente conservadores, y una interpretación excesivamente rígida de preceptos y doctrinas puede en ocasiones llevar al estacionamiento, en vez de al progreso espiritual.

El Padre Daniel A. Helminiak, en su estudio interdisciplinar sobre *Desarrollo espiritual,* afirma que «el desarrollo espiritual se hace posible cuando uno sale de la etapa 'conformista', en que la ideología es impuesta por la autoridad externa, y pasa a la etapa 'consciente', en que las ideas y reglas se internalizan por completo y se hacen propias. Ese cambio de una etapa a otra es difícil y no común. Muchos se quedan a mitad de camino y se hacen, en la aguda expresión de Loevinger, 'concienzudamente conformistas'. Para la mayor parte de la gente, el desarrollo espiritual pronto se atasca en las dudas. Por desgracia, esta observación se aplica con frecuencia a personas entregadas profesionalmente a la vida religiosa, y a otros que anuncian públicamente su interés en las cosas del espíritu o cuyas recientes conversiones carismáticas han dado un nuevo sentido a su testimonio. Inspirados por historias de 'santos', por modelos de 'perfección' o de 'iluminación' o por relatos milagrosos, se hacen imitadores fieles de lo que ven y oyen. Empeñados en hacerse personas espirituales, siguen al maestro, obedecen las reglas, profesan la doctrina, todo ello sin examinar ni probar responsablemente los hechos. La buena voluntad se convierte en esclavitud y, de ordinario, hay alguna institución tras ello: no hay apenas ninguna institución que pueda permitirse el lujo de animar a sus adictos a que crezcan y piensen y tomen decisiones por su cuenta. Así llegan a hacerse 'auténticamente inauténticos'. Se especializan en la virtud del niño, la obediencia, y nunca logran el estado adulto, el crecimiento espiritual» (p. 78).

El crecimiento espiritual es importante no sólo para el individuo, sino para la sociedad y para la religión misma. Si queremos que la religión resurja y florezca en nuestros días con nuevo vigor y vida renovada, tenemos que fomentar la reflexión personal y la responsabilidad adulta en la fe y la práctica religiosas. Esto beneficiará no sólo a la persona, sino a su religión, ya que el crecimiento común se verifica a través del crecimiento de cada miembro. Sin embargo, el hecho es que hay personas sinceramente religiosas que prefieren insistir con un criterio estrecho en normas y ritos que sí tienen un gran sentido para ellas, pero no por ello lo tienen para los demás, y una tal insistencia puede causar tensiones dentro de la comunidad religiosa y dificultades con algunos de sus miembros. En tales casos es preferible seguir con lealtad los propios caminos, sin imponérselos a los demás.

Pongo por ejemplo una ocasión divertida de mi propia experiencia. En cierta ocasión, un sincero maestro de una floreciente secta no-cristiana me llamó aparte al final de una conferencia que yo había dado en su institución y, cuando estábamos solos, me miró con intensidad y cariño en sus ojos, me tomó las manos y me dijo poniendo el alma en cada palabra: «He leído sus libros y he seguido su vida desde hace algún tiempo, y hoy he escuchado con gran interés la exposición que usted nos ha hecho de sus ideas y experiencias religiosas. Apruebo profundamente todo lo que usted ha hecho. Creo firmemente que Dios está con usted, y que usted es ya una persona iluminada. Sólo hay una cosa que le falta para la iluminación perfecta y, precisamente porque le aprecio y tengo plena confianza en usted, me siento movido por el Señor a proponérsela. Yo he visto en mi vida, de un modo que no deja lugar a dudas, el poder y la alegría que yo he recibido por la bendición de mi guru, y sé muy bien que, si usted obtuviera ese poder y esa bendición, su vida y su trabajo adquirirían una nueva dimensión y profundidad y podría usted llegar a mucha más gente y de manera mucho más efectiva por el bien de ellos y por la gloria de Dios sobre la tierra. Pues bien, todo lo que usted ha de hacer para eso es repetir, palabra por palabra, la fórmula sagrada que yo recitaré, inclinar la cabeza al nombre del guru y llevar al cuello este relicario con su imagen. Nadie tiene por qué enterarse de ello, y yo, por mi parte, no diré una palabra a nadie. No hago esto por ningún interés egoísta, ni menos aún por proselitismo mezquino, sino por el bien de usted y de todos aquellos a quienes llegan sus libros y sus charlas. Piense en los beneficios espirituales que recibirán si da usted este paso que yo estoy firmemente convencido es la voluntad de Dios para usted. ¿Lo hará usted por ellos?»

Yo respetaba el celo y la convicción de aquel hombre y puse suavidad en mi respuesta. El tenía buena intención y estaba convencido de que, al pedirme a mí que siguiera a su guru, estaba haciendo lo que él creía que debía hacer. También es verdad que yo no soy perfecto en manera alguna, y me faltan muchas cosas y cualidades que me vendrían muy bien. Pero lo que, decididamene, no me hace falta ninguna es repetir una fórmula y colgarme al cuello la foto de un guru exótico. Puedo pasar sin ello. Por eso le dije a aquel buen hombre que apreciaba su gesto, que para él era el mayor cumplido que podía hacerme, y que yo había sentido fuertemente en mi vida el fervor y el gozo que dan la fe en el Señor Jesús y entendía el deseo que una fuerte experiencia religiosa da de comunicarla a los demás para que todos se beneficien de ella. Por eso mismo no me sometería al rito que él proponía, y si él había seguido su conciencia al proponérmelo, yo seguía la mía al rehusarlo. Esperaba que él respetaría mis convicciones como yo respetaba las suyas. Su desilusión se manifestó en silencio. Yo, por mi parte, me noté por dentro enfadado, no por su deseo ingenuo de enriquecer mi vida espiritual con la suya, sino por el «numerito» de la fórmula y la foto del guru. Si sólo me hubiera dicho que deseaba que yo conociera mejor su religión, y me hubiera dado libros o propuesto un diálogo, yo habría aceptado encantado, con corazón abierto y mente dispuesta a aprender y avanzar. Pero lo único que él quería era que yo repitiese una fórmula mágica y llevara un talismán. ¡Y a él se le consideraba como a un gran santo en su religión, un maestro de espiritualidad, un hombre de Dios! Si eso es todo lo que la religión tiene que ofrecer, pensé yo, no es extraño que andemos en crisis y crezca la indiferencia a nuestro alrededor. Repite el encantamiento y átate la cadenilla. Eso es todo lo que has de hacer. Sigue a mi guru, y estarás a salvo. Inclínate ante él. Entrega tu mente. Ya alguien ha pensado por ti, y lo único que tú debes hacer es repetir lo que se te dice. Si eso es iluminación, no parece dar mucha luz. Hay que salvar a la religión de quienes la entienden de manera tan estrecha.

Ese pequeño episodio, que resultó más cómico que serio, me dejó con sabor de tristeza. Si personas entregadas a la práctica de la religión institucionalizan hasta tal punto sus creencias, poco ha de quedar de religión en ello. Para renovar la religión en nuestros días necesitamos entendimiento y corazón, sabiduría y devoción, fidelidad al pasado e imaginación para el futuro. El mundo necesita más que nunca la práctica sincera de una religión vivida, y esa religión vivida necesita la entrega generosa de hombres y mujeres de hoy para revitalizar la fe en nuestros días con ardiente fervor. Vino nuevo en odres nuevos.

IMAGEN DE BARRO

El mayor condicionamiento viene, no de nuestros padres o de nuestros maestros, no de la sociedad o del entorno, sino de nosotros mismos. Cada uno se condiciona a sí mismo. Yo me condiciono a mí mismo. Es decir, mi pasado condiciona mi presente. Y vuelvo a repetir que acepto y valoro y amo mi pasado, que es parte integral de mi ser y seguirá siéndolo siempre. Pero como pasado. El peligro viene cuando el pasado se convierte en regla para el presente, y memorias antiguas ensombrecen realidades actuales.

La vida está hecha de costumbres, y bien pronto en nuestra humana carrera adquirimos una imagen que nos acompaña todo el resto de nuestras vidas como una tarjeta de visita, una presentación, un currículum. Las personas con quienes trato no tardan en conocer mis costumbres, y enseguida me marcan como una persona de infalible puntualidad que nunca llegará un minuto tarde, o, al contrario, como un despreocupado irresponsable que nunca llega a tiempo ni cumple con una cita. Y la puntualidad es sólo un ejemplo. Lo mismo vale de mi modo de pensar y de obrar, de mis debilidades y de mis genialidades. Mis conocidos han dibujado un perfil demasiado real de lo que yo soy ante ellos, y lo usan con notable eficacia para identificarme y predecir lo que yo voy a hacer en cada circunstancia concreta. ¡Claro que lo iba a hacer! ¿No iba a ser el de siempre? ¡Como si no lo conociéramos!

De lo que aquí trato ahora no es de la imagen que otros se han formado de mí, sino de la que yo me he formado de mí mismo, que es la que determina mi manera de actuar de ahí en adelante. Me defino a mí mismo como una persona puntual y, en consecuencia, me encargo de llegar exactamente a tiempo para responder a la expectación que de mí se tiene y, más aún, para no fallarme a mí mismo y a mi proyección de persona puntual. La situación merece analizarse con algo de detalle. La puntualidad en sí es algo bueno (yo por lo menos así lo creo), e incluso el hábito de la puntualidad puede ser bueno. Lo que ya no está tan bien es la necesidad compulsiva de ser puntual porque siempre lo he sido y porque, si dejo de serlo ahora, me parecerá que me he hecho traición a mí mismo, que he roto mi imagen y he cesado de ser yo. Eso es esclavitud. Eso es adoración idólatra de una imagen de barro. Eso es perder la libertad ante la rigidez mecánica del molde fijo. Si llego puntual porque así quiero hacerlo, libre y alegremente, porque soy delicado para con los demás y no quiero hacerles esperar, porque soy responsable en el uso de mi tiempo, todo eso está muy bien y es positivo; pero, si llego a tiempo porque no puedo remediarlo, porque me sentiré culpable y avergonzado si llego cinco minutos tarde, porque necesito llegar a la hora exacta para asegurarme de que soy yo mismo y sentirme seguro..., entonces mi puntualidad no es ya ornamento de mi personalidad, sino la triste expresión de un alma insegura.

Una buena imagen da seguridad y respetabilidad, y por eso nos aferramos a ella. Pero (y esta idea asoma ya por la tercera o cuarta vez en estas páginas) la seguridad se obtiene sólo a costa de la espontaneidad, la libertad y la vida. Da miedo romper la propia imagen, porque es como dejar uno su casa, su tierra, su entorno familiar y acostumbrado. Es desechar las muletas y romper los moldes. Cuesta hacerlo. Pero el polluelo no crecerá si no rompe la cáscara. Dejar a un lado, con cariño y respeto, nuestra propia imagen, aunque sólo sea por una temporada, puede ser un sano ejercicio de valor y crecimiento. Quizá después de eso no queramos volver a tomarla.

Hasta ahora he hablado de una imagen buena, positiva, apreciada, y aun de ésa he dicho que puede resultar esclavizante y nos puede traer cuenta romperla. Esto es aún mucho más cierto y urgente cuando se trata de una imagen negativa. Tal imagen conlleva una esclavitud doble: a la imagen como tal y a lo que nos hace hacer, que en este caso es desagradable y vicioso. Aquí sí que vendría bien un poco de santa iconoclasia. Conocí a una persona que era famosa por los chistes que contaba, que no eran precisamente del género más limpio. En cuento aparecía, los que le conocían y sabían su reputación le pedían a gritos: «¡Cuéntanos los últimos de tu repertorio!» Y no tenía más remedio que hacerlo. Su imagen le había precedido. Verlo y obligarle a mostrar su habilidad era todo uno. Sé que él mismo llegó a lamentarlo e hizo todo lo posible por quitarse su triste fama, pero no lo consiguió. El público no le perdonaba. Se le conocía por su turbio humor y, quieras que no, él tenía que responder a las exigencias del grupo. Contaba el último de la serie. La gente se reía por fuera y lo despreciaban por dentro. A él mismo le daba asco. Pero no había solución. La sociedad puede ser cruel. Quizá me equivoque, pero creo que a la gente lo que le interesaba no eran sus chistes, sino el mantenerlo en la prisión social que él mismo se había creado y que ellos no le permitían abandonar. Hace falta mucho valor y determinación para romper una imagen que lleva años en el pedestal. A veces hace falta valor hasta para no contar un chiste esperado.

A primera vista, puede parecer que la experiencia personal, en contraste con la autoridad externa, es fuente auténtica de una personalidad libre y un carácter independiente. Y sí que lo es, pero también tiene su trampa. Cuando me apropio una idea o adopto una práctica por mi propia experiencia, y no por ninguna intromisión externa, obro por convicción propia, y así esa idea o esa práctica cobran un valor profundo y expresan un compromiso personal. Esto es mucha verdad y demuestra la importancia de sentir las cosas por experiencia propia, en vez de aceptarlas ciegamente porque las digan otros. Pero digo que aun esto tiene su trampa. Mi experiencia del pasado, por válida que fuera al momento de tenerla, puede ahora convertirse en «autoridad» para mí, tan foránea a mi presente como una fuente de autoridad externa lo es siempre. Mis antiguas ideas, convicciones, valores y experiencias fueron genuinos cuando tuvieron lugar, son parte de mi ser y han moldeado mi vida; pero, si se convierten en normas rígidas para forzarme a que me porte hoy como me portaba ayer, entonces no son mejores que un poder extranjero que me haya subyugado. Están fuera de mí en el tiempo, ya que no en el espacio; es decir, no han venido de fuera, pero vienen del pasado y, por tanto, son ahora cuerpos extraños y peso muerto.

«Tuviste ayer una experiencia que te enseñó algo, pero lo que te enseñó entonces se erige ahora en autoridad fija; y esa autoridad de ayer es tan destructiva como la autoridad de hace mil años» (Krishnamurti). Esta es una lección difícil de aprender. Nuestras experiencias pasadas son tan valiosas para nosotros que las atesoramos como si fueran válidas para siempre, y sería para nosotros una pérdida y hasta una traición el abandonarlas. Lo he visto, lo he sentido, lo he vivido... ¿Cómo puedo ahora dejarlo, negarlo, olvidarlo? Mi propia experiencia es lo que marca mi vida con mi propio sello; por consiguiente, tengo que conservarla siempre tan fresca y vívida como cuando me sucedió. Esa es nuestra reacción, y se entiende perfectamente. También se entiende que es totalmente inútil. Aquella experiencia fue una flor nueva y abierta cuando sucedió, pero, por mucho que se la riegue, una flor no permanece fresca y reciente para siempre. La flor se cierra, se marchita y muere. Una experiencia concreta es válida para un momento concreto de la vida, y luego envejece y muere. Así como hay que dejar venir a una nueva experiencia cuando viene, así hay que dejarla marcharse cuando se marcha. Deja sitio a la vida. Limpia el jardín. Quita las flores marchitas para que salgan las nuevas. La experiencia pasada que se convierte en autoridad presente es tanto más peligrosa cuanto que, al ser parte de mí mismo, me engaña y me hace someterme a ella más fácilmente. Y, sin embargo, el veredicto es verdadero: «La autoridad de ayer es tan destructiva como la autoridad de hace mil años». La autoridad de mi propio pasado es tan destructiva como la autoridad de mil maestros. No me deja abrirme a experiencias nuevas, no me deja respirar aires nuevos, no me deja vivir. Tengo que liberarme de mí mismo si quiero ir adelante en el camino de la vida y descubrir horizontes nuevos y escalar mayores alturas. De poco me servirá liberarme de los demás si no me libero de mí mismo. Esta es la trampa más sutil y peligrosa, porque está dentro de mí mismo y se esconde a mi vista. Tengo que seguir siempre alerta, siempre despierto, siempre avanzando; tengo que entender que la guirnalda de hoy es la cadena de mañana, y la espléndida experiencia de ayer es el pasado glorioso, pero enterrado, de hoy.

Habrá que repetir otra vez que no se trata de rechazar mis normas actuales de vida y de conducta simplemente porque vengan del pasado o porque vengan de fuera. La postura auténtica es situarme en mi posición de hoy, tomarme tal como soy ahora, y ver entonces, con plena responsabilidad y firme libertad, cuáles de esas normas encajan conmigo tal como me conozco y quiero ser, y cuáles me resultan artificiales o pasadas y no me dicen nada ya en mi vida; cuáles se han hecho carne de mi carne y sangre de mi sangre por mi propio juicio, convicción y asimilación, y cuáles han sido solamente etapas pasajeras que hicieron su labor en su día y que ahora pueden dejarse a un lado, con suavidad y gratitud, para que den paso a experiencias nuevas y crecimiento nuevo. Así es como funciona todo organismo sano.

No sólo tenemos nosotros nuestra imagen para uso y consumo propio, sino que tratamos de proyectarla hacia los demás para que hagan como nosotros, ya que nada nos da mayor seguridad que el ver cómo otros siguen nuestro modo de vida, creen lo que nosotros creemos y se portan como nosotros nos portamos. Al avanzar en años, nos convertimos instintivamente en predicadores e intentamos influir y convencer a los demás para que sigan nuestro camino. Este esfuerzo dirigido hacia otros puede hacerles efecto o no, pero a quienes ciertamente hace efecto es a nosotros mismos. Al tratar de convencer a los demás, nos afianzamos más y más en nuestras posiciones. Si no convencemos a los otros, al menos nos convencemos a nosotros mismos.

Un día, el mullah Nasrudín estaba siendo molestado por los chicos del pueblo que lo insultaban y le tiraban piedras. Como no podía resistir el ataque ni le dejaban huir, hubo de pensar rápidamente en algún subterfugio para librarse de ellos. De repente puso cara seria y les dijo: «¿Sabéis qué día es hoy?» Le contestaron: «Ni lo sabemos ni lo queremos saber, porque eso es sólo un truco para escaparte de nosotors». El siguió: «Truco o no, pero hoy es el cumpleaños del rey, y da comida y dulces gratis a todos los que van hoy a su palacio». Y comenzó a describir el banquete y todos sus platos con tal detalle que a los chicos se les hizo la boca agua, y se echaron todos a correr hacia el palacio. Nasrudín los vio con gran alivio desaparecer a la vuelta de la esquina, pero, al ver desaparecer al último, se irguió de repente, recogió su túnica y echó a correr tras ellos mientras murmuraba para sus adentos: «¿Quién sabe? ¡A lo mejor es verdad! Más me vale ir y asegurarme yo mismo». Había hecho una descripción tan realista que se la había creído él mismo.

II
DOMAR EL FUTURO

¿CUÁNDO EMPEZAMOS A JUGAR?

Por extraño que parezca, no sólo es el pasado el que nos condiciona, sino también el futuro. Si tenemos una imagen de lo que hemos sido, y esa imagen del pasado preside nuestra conducta en el presente, del mismo modo tenemos una imagen de lo que deberíamos y querríamos ser, y esa imagen futura también inspira y dirige nuestros esfuerzos de hoy. Nuestro principal esfuerzo va casi siempre dirigido a conseguir ser diferentes de lo que somos. Siempre estamos intentando ser lo que no somos, con lo cual comenzamos por perdernos lo que somos. Tenemos planes para el futuro que no nos dejan ver el presente, y mejoras por venir que nos impiden ver y gozar el bien que ya tenemos. Vuelvo a decir que no es que esté mal el planear, proponer, proyectar, soñar; pero, si el planear y el soñar nos hacen perder el contacto con la realidad presente, no estaremos ni en un sitio ni en otro, ausentes con la mente de donde estamos presentes con el cuerpo. El resultado será una vida de ausencias. Una existencia fantasma. Y así es, por desgracia, la de muchos. El futuro nos puede hacer tanto daño como el pasado.

Todos, más o menos, estamos poco satisfechos con lo que somos, sabemos muy bien que podríamos ser mejores y estamos resueltos a llegar a serlo en un futuro más o menos lejano. Y no es que esté mal querer mejorar; pero, si el propósito de ser mejores en el futuro nos aparta del deber de ser buenos ahora, nos encontraremos con que, en el momento de actuar (que es ahora), nos faltan la motivación y las fuerzas para alcanzar nuestro nivel, ya que ese alto nivel está reservado para una fecha indeterminada y futura; y lo triste es que en esa fecha no podemos actuar (porque aún está lejana), y tampoco en la presente (porque se ha quedado sin la energía que necesitaba), y así se va arrastrando nuestra reducida y mínima existencia. Eso explica el bajo nivel de vitalidad a que de ordinario funcionamos; nos guardamos nuestras fuerzas para un futuro que nunca llega y nos resignamos, entre tanto, con una actuación rutinaria que no le satisface a nadie, y menos que nadie a nosotros mismos. Si consiguiéramos aprender a usar la totalidad de nuestra energía en cada momento de nuestras apretadas vidas, quedaríamos sorprendidos por la ola de alegría y entusiasmo que surgiría a todo lo largo del océano de nuestra vida. Queremos abarcar de una vez todo el pasado y el futuro, y no damos abasto. Ya es hora de recobrar la conciencia del presente y volver a la fuente de perenne juventud que es el contacto, íntimo y fiel, con todo lo que sucede en el momento en que sucede. Ese es el secreto de una vida llena.

Vivimos bajo el signo del futuro. El niño sueña con ser mayor, el estudiante con acabar la carrera, el graduado en conseguir empleo, el empleado con casarse, el casado con tener hijos y hacer que éstos crezcan y se gradúen y se casen a su vez... Y todos soñamos con una vida eterna en la que seremos felices para siempre, sin preocupaciones de ninguna clase. Tenemos siempre la mira en el futuro. Algo nuevo nos va a salir en la vida a la próxima vuelta del camino, y la ilusión y esperanza de ese nuevo acontecimiento nos da fuerza para seguir caminando de alguna manera hasta que llega, y entonces empezamos a pensar en la próxima vuelta del camino y el próximo acontecimiento. Nuestra vida entera es una serie de satisfacciones parciales, y lo malo es que, mientras estamos en una, nos creemos que la verdadera y definitiva será la que viene luego, y así hasta que llega ésta... y vuelta a empezar. La gloria imaginada del mañana le hace sombra a la realidad presente de hoy. No apreciamos lo que tenemos, porque esperamos recibir algo mejor. Nos perdemos las bendiciones que nos llegan por pensar en las que están por llegar. Ya es hora de empezar a sacarle gusto al capítulo en curso de la vida sin esperar al capítulo siguiente.

Cuando el mullah Nasrudín cumplió cinco años, su madre organizó una gran fiesta de cumpleaños para él y sus amigos. Gorros y globos, pitos y máscaras, dulces y bebidas, y juegos de todas clases para jugar de dos en dos o de tres en tres o todos juntos, con música y baile y juguetes. Un gran día. Y en medio de todo el barullo, el pequeño Nasrudín se va adonde está su madre, feliz y contenta con el éxito de la fiesta, y le pregunta con voz quejumbrosa: «Mamá, cuando todo esto acabe, ¿podremos ir a jugar?»

Para mí, esta inocente historia es de un patetismo desgarrador. La fiesta está en su auge, y el niño está esperando a que termine para irse a jugar. No arguyamos que los juegos de una fiesta organizada son artificiales, y el niño prefiere sus programas de polvo y de barro. Eso puede ser verdad, pero no se trata de eso en el cuento. La fiesta del cuento es soberbia, y los juegos que en ellas se juegan son infinitamente mucho más divertidos y entretenidos que las sesiones diarias en la calle. Pero el niño no lo ve. No ve la gracia y el humor y el arte y la alegría de la fiesta de cumpleaños, y sólo piensa en que se acabe aquello para empezar a jugar de veras. A ese paso, el juego de verdad nunca le llegará.

Dios nos ha organizado una bella fiesta aquí abajo en la tierra, con dulces y música y danzas y juegos, todo ello pensado con el cariño y la sabiduría de quien más nos quiere y mejor sabe lo que nos conviene. Y nosotros, en medio del festejo, nos ponemos a pensar y cavilar a ver cuándo nos dan la verdadera vida para que empecemos a gozar. Cuando todo esto se acabe, ¿nos dejarán ir a jugar? Cuando todo esto se acabe… Pero ¿no es también «todo esto» obra de Dios y don de Dios? ¿No es esto también su juego y su providencia y su amor? Sí, estamos en medio de la fiesta de Dios y nos estamos perdiendo su gozo y su alegría. El juego de la vida, el mejor juego de la creación, se está jugando ante nuestros mismos ojos, y nosotros estamos aburridos y molestos porque estamos esperando a otro juego. Más adelante, en algún sitio, de alguna manera, podremos salir e ir a jugar. Y, mientras tanto, ¿qué le sucede al presente? ¿En dónde queda la fiesta de hoy? ¿En dónde queda este día, esta hora, este suceso? Sólo pensamos en cuándo se acabará. Para volver a pensar, en cuanto el siguiente comience, a ver cuándo se va a acabar éste a su vez para dar lugar al próximo. Cada día se pasa en la expectación del día que viene. Sea lo que sea lo que tenemos entre manos, nuestra pregunta fundamental es: ¿cuándo se acabará? ¿Cuándo acabará este día? ¿Cuándo comenzará el siguiente para que podamos comenzar a esperar que se acabe? Una serie de vacías esperas. Repetición de fiestas, repetición de cumpleaños, repetición de días. Cada uno no es más que una preparación para el siguiente, y ninguno es válido en sí mismo. Cada uno es tan gris como el que le precedió, porque su única misión es señalar el que viene. Una línea de ceros sin el uno que los redima. ¿Y eso es lo que llaman vida? Si es así, no es extraño que vuelvan con la misma pregunta, esta vez no acerca de un suceso o de un día, sino de la vida entera, con angustia y urgencia de corazón: ¿Cuándo se acabará todo esto? Si sólo se trata de un sucesión de espacios vacíos, no hay más que hacer sino esperar pacientemente a que se acabe.

Una vez fui a la ciudad de Yámnagar, en el Gujarat, a dar una conferencia. En esa ciudad residía un joven que se había carteado conmigo, aunque nunca nos habíamos visto, y que, al enterarse de que yo iba a su ciudad, me urgió a que visitara su casa y a su familia y conociera a todos. Asentí y les pedí a los organizadores de mi viaje y estancia que dejasen libre media hora en el apretado día para esa visita. Así quedó arreglado, y así llegué yo a su casa después de informarle de a qué hora llegaría. El me estaba esperando a la puerta de su casa y, cuando yo me bajé del coche en que iba y fui a su encuentro, la primeras palabras que me dijo allí mismo, aun antes de saludarnos, fueron textualmente: «La próxima vez que venga usted a mi casa tiene usted que quedarse un día entero con nosoros». Así empezó de sopetón.

Y allí mismo también me puse yo a explicarle a él, y a todos los que se habían reunido y quisieron escuchar, mi reacción espontánea a aquel saludo inesperado: «Aún no he entrado en tu casa por vez primera, y ya me estás diciendo lo que tengo que hacer la próxima vez que venga. Vamos por partes, hombre, vamos por partes. Dios sabe cuándo podré volver a esta ciudad y a esta casa, pero hoy he venido y me alegro de haberlo hecho, y estoy deseando pasar un buen rato contigo y con tu familia, si es que tú me lo permites. Te parece corto el rato que vamos a estar juntos hoy, y comienzas por quejarte y tratar de asegurarte de que la próxima vez será un rato más largo. Magnífico. Me encanta que digas eso y te lo agradezco de veras. Pero lo que me temo es que, por querer asegurar la próxima visita, vas a estropear ésta. Das la impresión de que te vas a pasar la media hora de hoy discutiendo conmigo cuántas horas tengo que pasar aquí la próxima vez. Esas horas puede que no lleguen nunca, y en cambio tenemos ahora media hora en que podemos disfrutar todos si tú no lo impides. Sólo tengo un día aquí, como sabes, y tengo el día lleno entre una cosa y otra, como puedes imaginarte. Yo me siento feliz y orgulloso de haberme acordado de tu petición y haber encontrado tiempo para satisfacerla. Venía a tu casa con verdadera ilusión de verte a ti y a tu familia, quería que me presentases a todos, ver sus caras y aprender sus nombres, tomar juntos el té (que ya me está llegando el olor), charlar y reírnos y disfrutar con tu compañía. Media hora no es mucho tiempo, pero es media hora, y podemos hacerla cundir si la empleamos bien. Vamos a disfrutar de esta reunión tal como es, y no estropearla con pensar en la reunión ideal que nunca se ha de presentar». Por fin nos sentamos. Me presentó a todos. Miré a sus rostros y aprendí sus nombres. Tomamos el té todos juntos. A la media hora me levanté. El, entonces, me trajo su álbum de autógrafos para que firmara en él. Escribí: «No dejes escaparse el presente por soñar con el futuro». Lo entendió.

CÓMO TOMAR EL AUTOBÚS

Las preocupaciones por el futuro nos impiden con frecuencia disfrutar el presente. El presentimiento de algo malo que nos va a suceder mañana no nos deja ver lo que de bueno ha traído el día de hoy. E incluso, en paradoja real y efectiva, la imaginación de las cosas buenas que nos esperan más adelante nos quita algo de la capacidad de sacarle todo el jugo a las cosas buenas que ya tenemos ahora. La imagen de lo que puedo llegar a ser en un futuro más o menos distante empaña la realidad de lo que soy en este momento. Para ser totalmente yo he de aprender a vivir totalmente ahora.

No se trata, en modo alguno, de negarse a prever el mañana o a planificar el futuro. El sentido común ha de funcionar siempre. Así como el pasado es importante como historia y fundamento de todo lo que viene tras él, así el futuro (y, por consiguiente, la planificación del mismo) es indispensable para que nuestra vida discurra por los derroteros que queremos que siga. El peligro viene cuando se planifica más que se vive, y la fantasía se sobrepone a la realidad. El sano punto medio está en saber revivificar el presente con la visión tranquila del futuro.

Una comparación. Un buen conductor en un coche seguro. Se fija en la carretera que tiene ante sus ojos, el tráfico, el coche que lleva delante, los semáforos, los cruces, mira a lo lejos para abarcar la perspectiva que viene y, al mismo tiempo, no pierde de vista el retrovisor, para estar al tanto de lo que pasa por detrás. Hay una atención equilibrada a los cuatro lados, con una concentración mayor en lo que viene por delante, dispuesto a cada instante a reaccionar rápidamente ante cualquier emergencia que surja en su camino. Si se pone a contemplar el bello paisaje a lo lejos, si vuelve la cabeza para mirar a los lados, si mira hacia atrás volviéndose del todo mientras habla y gesticula y sigue conduciendo... no hará más que invitar a un accidente. El presente puede convertirse en tragedia si el pasado y el futuro acaparan nuestra visión.

Una vez fui testigo, a pesar mío, de uno de esos accidentes. Me llevaban en un coche por la sinuosas y repletas calles de una populosa ciudad en el sur de la India. Iba yo sentado al lado del conductor, y otras dos personas iban en los asientos de detrás, charlando. Entonces sucedió todo con la rapidez del relámpago, y yo lo vi con la misma claridad desde mi asiento delantero. El conductor volvió la cabeza para decirle algo al que estaba sentado detrás de él, y en ese mismo instante un peatón en el bordillo vio a un autobús que llegaba a la parada del otro lado de la calle y, sin mirar a derecha ni izquierda, se lanzó disparado hacia el autobús cruzando toda la calle. Su trayectoria se cruzó con la de nuestro coche, y ni él, que miraba hacia adelante, ni el conductor, que miraba hacia atrás, se vieron ni se sospecharon, y chocamos. Yo sentí el negro impacto del cuerpo del hombre contra el motor del coche, que sacudió todo mi cuerpo, vi la mirada de sorpresa angustiosa en sus ojos desorbitados por el choque violento, sufrí luego al oírle quejarse, ya en la cama del hospital, y maldecir su mala suerte y lo que él y su pobre familia iban a tener que sufrir mientras se le curaban las diversas fracturas que había sufrido. Era católico, y en el choque se había roto y había perdido la medalla de la Virgen que llevaba al cuello, lo cual casi le hacía sufrir más que el dolor físico. No era aquel momento para ponerse a filosofar, pero el recuerdo violento de aquel penoso incidente me quedó grabado en la memoria como imagen palpable de la desgracia que habían provocado un hombre que miraba adelante y otro que miraba atrás. Si uno de los dos hubiera mirado justo enfrente, no habría habido accidente.

El hombre que se lanza a tomar un autobús es imagen vívida de la violencia mental que nos causamos a nosotros mismos cuando soñamos en el futuro a expensas del presente. Allá está, empeñado en estar donde está y dejando de estar donde de hecho está. Todo su deseo, su mirada, su brazo extendido apuntan a ese punto flotante en el espacio donde ansía estar, mientras que ha perdido todo contacto con la realidad, con el suelo, consigo mismo, en el esfuerzo loco de estar donde no está. Está en la calle y quiere estar en el autobús y, por consiguiente, no está ni en un sitio ni en otro. No está en la calle, porque ya no la percibe; y no está en el autobús, porque aún no ha subido a él. Está tendido entre dos puntos del espacio y no está en ninguno de los dos. Y quien no está en ninguna parte no es nadie. Se pierde la única realidad que podría vivir en ese momento y, si sigue viviendo así toda su vida, se encontrará al final con que apenas ha vivido.

Compara la loca carrera del hombre del autobús con el paso medido de quien corre por placer o ejercicio. Quizá la velocidad es la misma, pero todo el cuerpo y, sobre todo, toda la mente son enteramente distintos. El que corre por placer siente su cuerpo, llena los pulmones, recibe en su abierto rostro la caricia de la brisa, mientras que el que va a por el autobús se olvida de todo y no ve más que a ese monstruo rojo que amenaza marcharse sin él. El arte de la vida es aprender tan bien a correr por placer que, cuando haya que correr por necesidad, lo sigamos haciendo como un juego, sintiendo todo a nuestro alrededor, con pies alegres y pulmones llenos y con el sentido del humor de reírnos de nosotros mismos cuando el autobús se marche sin nosotros. Pasar por la vida con todos sus trabajos y sufrimientos y contrariedades, pero con la sonrisa y la tranquilidad que hacen contacto con la realidad y nos permiten disfrutar de cada momento en medio de la loca carrera que es esta vida. Aprender a correr con el corazón alegre y la mente clara, sabiendo que el perder de vez en cuando un autobús no es una calamidad irreparable. Así es como se evitan accidentes.

El arzobispo Bloom propone una comparación instructiva. Un hombre viaja por tren y, en su prisa por llegar antes a su destino, se pone a correr por los pasillos del tren, desde el último vagón hasta la máquina, a trompicones con la gente y el equipaje. Los que le ven creerán que está loco, y no andarán muy equivocados. No gana absolutamente nada con esas ridículas prisas. El tren llega todo junto de una vez a la estación, y las puertas se abren al mismo tiempo; la que quedará más lejos será la de junto a la máquina, con lo cual él no ganará nada. No llegará ni un minuto antes que los demás pasajeros, y sólo una cosa quedará bien clara para él y para todos: que con eso ha echado a perder tristemente el viaje. Que se siente tranquilo junto a una ventanilla, que disfrute del paisaje, que mire los campos y los árboles y las casas y el ganado y los pájaros que vuelan y las nubes que pasan; que sienta el cosquilleo de la velocidad, la aventura de ser una partícula en movimiento dentro de un mundo fijo, la libertad de vagar de estación a estación sin hogar, sin raíces, sin fijeza, sin ninguna de las constantes que nos atan a un lugar fijo en la tierra y cuadriculan nuestra vida. Bendito viaje, si es que sabe aprovecharse de él y tomarlo por lo que sencillamente es: un viaje. La vida también es un viaje. Sentémonos tranquilamente y disfrutemos del paisaje.

Hayakawa da otro ejemplo que todos hemos vivido y padecido. El ascensor. Un impecable ejecutivo entra en el ascensor con su cartera bajo el brazo y aprieta el botón del décimo piso. Mira al reloj y verifica que llega exactamente a tiempo a la cita concertada. En ese momento, dos niños pequeños entran en el mismo ascensor con los ojos llenos de la juerga que les espera. Se miran el uno al otro, examinan la doble fila de botones relucientes y, ante la desesperación del ejecutivo, uno aprieta uno, y el otro otro, y luego varios a la vez. Van a darse un viaje en ascensor y están dispuestos a sacarle todo el jugo posible. El ascensor comienza su curso ascendente. Se para en el tercer piso, se abre la puerta, nadie sale y nadie entra, la puerta vuelve a cerrarse por su cuenta y los niños vuelven a mirarse y a disfrutar con la aventura. Miran a la fila de botones para adivinar cuál va a ser la siguiente parada. El ascensor sigue hacia arriba. El ejecutivo sufre. Para él el ascensor es sólo un instrumento para llegar lo antes posible al piso décimo. Su pensamiento está ya en el décimo piso, todo su ser vive sólo para llegar allí, está contando los segundos, impacientándose a cada parada, anhelando llegar al final. No está disfrutando de la excursión. Los chicos sí. Para ellos el ascensor es un juguete, un deporte, una experiencia a disfrutar por sí misma. De hecho, les dará pena llegar al final y, si les dejaran, seguirían arriba y abajo apretando botones y viendo abrirse y cerrarse las puertas hasta que quisieran, y entonces declararían, sin más ceremonias, que se acabó el juego, dejarían el juguete y se irían a la próxima diversión con toda alegría. Para los niños el viaje en ascensor es un fin en sí mismo, y así lo disfrutan como tal, sin preocuparse por lo que ha de venir después. Para el ejecutivo el ascensor es sólo un medio, un instrumento, eficiente e irritante, para llevarlo al décimo piso. Él piensa nada más que en el futuro (el décimo piso), mientras que los niños están del todo entregados al presente (el ascensor). Él está de paso; los niños se quedan. Él está tenso; los niños, relajados. Demasiado relajados para el gusto del ejecutivo. Se impacienta y mira el reloj. ¿Cuándo llegará por fin el décimo piso y se abrirá la puerta del ascensor y podrá lanzarse a la oficina en que lo están esperando? Llegará allí sofocado y molesto y, con toda probabilidad, se armará un buen lío con lo que haya de hacer, sea lo que sea, porque no está en plan de enfrentarse a un negocio importante. Seguirá tan impaciente en la oficina como lo estaba en el ascensor, pensando en la próxima cita marcada en su diario, mirando el reloj y maldiciendo a todos los que se toman las cosas con calma e incluso parecen disfrutar de lo que hacen sin preocuparse por lo que venga luego. El que tiene prisa, la tiene siempre.

La vida es para muchos de nosotros lo que el ascensor para el ejecutivo: un medio para llegar a otro sitio. Y, en consecuencia, nos perdemos toda la gracia del buen rato que podríamos pasar en el camino. Sólo pensamos en el décimo piso, en el futuro, en el fin del viaje. Miramos el reloj, contamos los años que hemos vivido y calculamos en secreta conjetura cuántos nos faltan todavía, y queremos asegurarnos de que llegaremos a tiempo a la cita. El ascensor como tal no nos atrae. La vida en sí misma no tiene importancia. Su único valor está en ser una etapa para algo distinto. No tenemos ojos para su belleza ni oídos para su música. Sólo sabemos apretar botones, conseguir resultados, abrir y cerrar puertas. No es extraño que la vida resulte aburrida y sin sentido. Los niños son más sabios que nosotros, y lo demuestran con ese sentido de admiración espontánea que les brilla en sus ojos vírgenes y en sus oídos atentos a toda situación, experiencia u objeto, aunque sean las cuatro paredes de un ascensor vulgar.

Y ahora otro incidente, esta vez de mi propia cosecha. Fui testigo presencial y agradecido, por el buen rato que me deparó, en una estación de ferrocarril de la India. Se trataba de la comitiva de una boda, dispuesta a desplazarse por tren al lugar de la ceremonia. La boda tiene lugar siempre en casa de la novia (no en el templo); y, como ella reside de ordinario en otra ciudad (debido a las minuciosas directrices que regulan la elección de consorte), el novio, con sus padres, familia y amigos, ha de trasladarse a ese lugar, cosa que se hace por autobús si el lugar es cercano, o por tren si es más lejano. Este grupo serían unos cien hombres y mujeres, con todos los atavíos y joyas que la ocasión requería, y habían reservado un vagón entero para ellos, vagón que en aquella estación debería engancharse a un tren lento de mercancías para un recorrido de unas ocho horas hasta su destino nupcial. Pero hubo un problema técnico en el último momento, y se les informó allí mismo, en el andén, que su vagón especial sería enganchado a otro tren, esta vez un tren rápido que cubriría el mismo trayecto en la mitad de tiempo, unas cuatro horas. En Occidente, esto habría sido una ventaja, y todos se habrían alegrado de llegar en la mitad de tiempo con un tren expreso. No así en la India. Los miembros de la comitiva, cuando se les informó del cambio, organizaron una ruidosa protesta allí mismo y amenazaron con estropear la paz y alegría de una boda rural. ¡Nos han engañado!, gritaron. Hemos pagado para estar ocho horas en el tren y parar en todas las estaciones, y ahora, por el mismo dinero, quieren despacharnos en cuatro horas sin parar en ninguna parte. ¡Sinvergüenzas! ¿Por quiénes nos han tomado? ¿Se creen que somos tan infelices? Exigimos el valor íntegro de lo que hemos pagado y la estancia de ocho horas en el tren. Y, si no lo pueden hacer, que nos devuelvan la mitad del dinero. ¡No vamos a pagar el precio íntegro para disfrutar sólo de la mitad!

Cada pueblo tiene su lógica. Para aquella comitiva nupcial, el viaje lento en alegre compañía formaba ya parte de los festejos de la boda, que ocuparían varios días de fiestas de familia. Todo se había planeado, discutido, fijado de antemano. Y ahora estos insensatos empleados del ferrocarril iban a estropear el primer número de las fiestas con su estúpido entrometimiento. Un viaje rápido, un tren expreso, una eficiencia elecrónica, cuando lo que hacía falta era la tranquilidad y lentitud de un viaje reposado en familia. Esta es, una vez más, la capacidad de disfrutar de cada suceso en sí mismo sin condicionarlo al siguiente; la sabiduría de pasarlo bien en el viaje, en vez de estropearlo con las prisas de llegar. Todos los que estaban presente en aquel andén en la estación (y los andenes siempre están llenos en la India) se pusieron de parte de la comitiva nupcial. Sólo yo, occidental aislado en la sorpresa permanente del Oriente, quedé meditando en silencio las diferencias de distintas mentalidades en pueblos distintos, y de los efectos prácticos de esas actitudes diversas. La paz del alma y la amistad con la vida parecen florecer con mayor facilidad en Oriente. La vida sigue horarios distintos en distintos continentes. Una boda en Oriente es muy distinta de una boda en Occidente. Y alguien que entendía de estas cosas dijo que la vida era como un banquete de bodas.

CAMINAR ES LLEGAR

He aquí un oscuro dicho de un santo hindú, Swami Ramdas: «El camino es la meta; caminar es llegar». Lo llamo «oscuro», porque siempre que lo cito ante oyentes europeos o americanos veo rostros nublados y ceños fruncidos que me dicen que hay algo extraño en ese dicho, algo que no es transparente ni evidente, al menos la primera vez que se oye. El camino es claramente distinto de la meta, es la etapa intermedia que debe llevar al término final y distante, como una carretera lleva a una ciudad, o como largos estudios llevan a un título. La carretera no es la ciudad, y los estudios son diferentes del título. Del mismo modo, andar no es lo mismo que llegar. Al caminar nos movemos, mientras que al llegar descansamos. No es lo mismo el movimiento que el descanso, como no es lo mismo desear que obtener. Ya sabemos que el Oriente vive de la paradoja, pero querríamos saber qué se gana con identificar el esfuerzo para obtener una cosa con el resultado de haberla conseguido. ¿Qué quiere decir Ramdas cuando afirma que el camino es la meta?

Si no soy demasiado optimista, creo que el capítulo precedente ha preparado el terreno para éste, y la respuesta al acertijo puede quedar más cercana al recordar las sencillas ideas que expuse allí. El ascensor y el tren. ¿Es el ascensor «meta» o «camino»? Ya lo sabemos. Para el ejecutivo era camino; para los niños juguetones, meta. Y todo lo que Ramdas hace es ponerse de parte de los niños, cosa que encaja perfectamente con su carácter y su sencillez de alma. El camino que andamos, en cada paso de nuestra peregrinación y en cada aliento de nuestra vida, es en sí mismo —durante ese alado y fugaz instante, pero en auténtica verdad y profundidad— meta y término de nuestra actividad, cumplimiento de nuestros fines y plenitud de nuestro ser. Caminar es llegar, porque cada paso llega a una marca en nuestra vida que es la única a la que podía y debía llegar. Caminar es llegar... por ahora, pero ese «por ahora» es el único tiempo que existe en el momento de llegar, y así la acción es total y completa en su instantánea existencia. Cada día es válido en sí mismo, sin tener que esperar a la corona definitiva de la muerte y la gloria; y de la misma manera, cada instante es lleno y perfecto en sí mismo, sin necesidad de recurrir al triunfo final para justificar el esfuerzo presente. Sólo alcanzamos nuestro último destino alcanzando día a día los objetivos leves del diurno vivir. Cuanto más valoremos esas llegadas diarias, mejor nos prepararemos para la llegada final; y sobre todo, y de eso tratamos aquí, mejor disfrutaremos cada uno de nuestros días y cada una de nuestras acciones.

No se trata de sutilezas escolásticas o filosofías abstractas. Al contrario, ésta es la manera más práctica de conseguir la mayor paz y satisfacción posible ya ahora, en medio de todos nuestros trabajos y todas nuestras dudas. De este modo aprendemos a encontrar ya un buen grado de satisfacción en lo que estamos haciendo, caemos en la cuenta de que merece la pena, de que cada momento de nuestra vida es válido en sí mismo, inscrito ya en los anales de la eternidad por mérito propio, sígale lo que le siga el próximo día o en todo el resto de nuestras vidas. No pensar en el ámbito total, que hoy por hoy no está en nuestras manos, sino en el momento presente que podemos disfrutar en goce inmediato, precisamente por ser tan breve que nos cabe en la mano y lo podemos abarcar con la mirada. Aprendiendo a vivir instantes, descubriremos algún día que hemos realizado, casi sin sentirlo, la tarea ingente de vivir una vida. Ganaremos al fragmentar la responsabilidad de toda una existencia, y haremos así más fácil la empresa del vivir.

No es que no haya una meta final, sino que la estoy viviendo en las metas parciales de cada día. Cada una de ellas, en la accesibilidad de su pequeñez, es reflejo y destello de la meta final, perfecta cada una en sí misma, como cada comida es delectable sin hacer referencia a la próxima, y todo sorbo da placer sin esperar al siguiente. Tenemos que redimir la validez de cada instante si queremos descubrir la plenitud de todo. Es el diamante: cada faceta es bella y cada color diferente, y, al apreciar una a una la individualidad de cada rasgo, llegamos a valorar la belleza del todo.

Caminar es llegar. Una vez le gasté una broma a una pobre víctima. Iba yo caminando solo por las calles de la ciudad cuando un amigo me vio, me detuvo y comenzó el juego con la apertura de costumbre: «¿Adónde vas?» Yo iba andando con Ramdas en mis pensamientos, y mi respuesta se salió algo del cauce normal: «A ninguna parte». El se sorprendió por un instante, pero luego puso cara de inteligente, como si hubiera entendido el sentido oculto de la respuesta inusual, y dijo sonriendo: «Ya entiendo, ya entiendo; has salido solamente a dar un paseo». Yo le corregí inmediatamente: «No, no es eso. No es que esté dando un paseo. Sencillamente, estoy andando». Su primera sonrisa se evaporó rápidamente y una sombra pasó por su frente señalando una duda, que no llegó a expresar, sobre mi salud mental en aquel momento. Traté de tranquilizarlo con una sonrisa. Expliqué: «Mira, hace un instante, yo estaba andando, y ahora, en este momento, estoy parado y hablando contigo. No estaba andando para encontrarme contigo y, sin embargo, así ha sucedido, y me alegro de ello. Supongo que no me preguntarás ahora que por qué estoy hablando contigo; lo estoy haciendo porque aquí estamos los dos el uno frente al otro y somos amigos. Del mismo modo, tampoco veo ninguna razón para que me preguntes por qué estaba andando, que es lo mismo que preguntar adónde voy. Sencillamente, las circunstancias se han combinado de tal manera que me encuentro en medio de la vía pública y sigo adelante como la cosa más natural, sin complicarme la vida pensando por qué lo hago». Mi buen amigo había perdido ya el hilo de mis razonamientos, pero yo seguí impertérrito con mi discurso. «Sí, de acuerdo, acepto el hecho de que tengo algo concreto que hacer, que para ello tengo que ir a un sitio y que ahora precisamente me encuentro en camino hacia él. Todo eso es verdad, y podía haber empezado por darte esa respuesta, que es la que de ordinario se da. Pero, si me permites decírtelo, esa respuesta hubiera sido tan vacía e inútil como tu pregunta, y no hubiera servido de nada. ¿Qué ganas tú con que te diga —como es verdad— que voy a la farmacia a comprarme un cepillo de dientes? Es mucho más verdadero y realista decirte sencillamente que estoy andando, que me estoy moviendo, que ahora, en este instante, estoy de pie junto a ti y disfrutando con tu compañía. Cada cosa a su tiempo. Cuando dejemos de hablar y tú sigas tu camino, sé muy bien que mis pies echarán a andar otra vez y me llevarán adonde saben que quiero ir, a la farmacia. No me voy a quedar aquí de pie como un tonto en mitad de la calle. Pero por el momento sí, estoy aquí de pie, y eso es todo. ¿Seguimos adelante?»

El pequeño incidente me valió para caer en la cuenta de lo difícil que nos resulta a nosotros, educados en una cultura de mañanas, recobrar el sentido del presente. Toda nuestra vida es: ¿adónde vas?, ¿qué estás planeando?, ¿qué es lo que esperas?, ¿qué quieres conseguir? A mí mismo me resultó un tanto ridículo y violento hablar de esa manera con mi amigo. Lo estaba convirtiendo en víctima de mis filosofías, en objeto de mis experimentos. No es de extrañar que se despidiera de mí con un cumplido y un gesto confuso. Tenía razones para estarlo. Pero a mí me gusta pensar en voz alta y expresar ante amigos de quienes me fío estas nuevas maneras de entender y vivir la vida. Siempre ayuda el traducir a diálogo y lenguaje las perspectivas de lo que vamos descubriendo, por torpe que resulte el primer balbuceo. Todo va orientado a la gran empresa de rescatar el presente de las garras del futuro.

Un joven de gran promesa se encontraba a mitad de sus estudios para el doctorado en la universidad cuando los médicos le diagnosticaron cáncer terminal, con uno o, a lo más, dos años de vida. Aquel joven me escribió entonces una larga y hermosa carta en la que describía su situación y analizaba con candidez emocionante su propia reacción ante la seria noticia. Su primer impulso, después de admitirse a sí mismo la gravedad última del diagnóstico, fue de dejar los estudios, que ya nunca podría completar, y dedicar el tiempo que le quedase de vida activa a hacer algo útil en servicio de los demás. Se había ordenado sacerdote recientemente (era un jesuita indio que había ido a Estados Unidos para el doctorado), y aún no había tenido muchas oportunidades de ejercer el ministerio sacerdotal ya que le ocupaban el tiempo los estudios. Por eso pensó, y otros le aconsejaron también en ese sentido, dedicarse al trabajo espiritual con almas necesitadas mientras tuviera fuerzas para hacerlo. Eso le daría la legítima satisfacción de ejercer el sacerdocio y hacer el bien a otros hasta la muerte. Bello y noble propósito, digno de la elegancia espiritual de su gran alma. Pero, pensando las cosas con mayor reposo y profundidad, cambió de opinión y decidió continuar con su investigación y su tesis, aun cuando sabía perfectamente que nunca llegaría a terminarla. La razón —que él explicaba en su carta con su habitual agudeza de entendimiento y sinceridad de ánimo, realzadas aún más por la proximidad de la muerte— era profundamente significativa. Decía que sus estudios eran una actividad válida en sí misma, y que dejarlos entonces a mitad de camino por un ministerio apresurado de última hora equivaldría a reconocer que hasta entonces no había hecho más que perder el tiempo y que la única manera de compensar por una vida perdida era ejercer de algún modo, fuera como fuera, el sacerdocio. Esto era lo que él, sabia y delicadamente, se negaba a admitir. Su vida era tan válida y auténtica mientras estudiaba para una tesis que nunca escribiría, como cuando administraba los sacramentos o instruía al pueblo de Dios. Si no fuera así, un estudiante para el sacerdocio que muriera antes de la ordenación debería considerar su vida como una pérdida de tiempo, lo cual no es cierto en manera alguna. Cada estadio en la vida es válido en sí mismo. Cada hora de estudio es valiosa en sí misma, en la sinceridad del esfuerzo, la concentración de la mente, la disciplina de los sentidos, el entender nuevas verdades y el cumplir con el deber. Pensamos tanto en pruebas y exámenes que nos parece que se ha perdido el curso si no se ha conseguido el título correspondiente. Mi amigo entendía mejor las cosas. Había visto, con la luz que le llegaba ya desde el otro lado del horizonte, que toda su preparación para un título académico y el consiguiente trabajo docente eran tan valederos y nobles y legítimos como cualquier trabajo docente o pastoral podía haberlo sido en el futuro. No hacen falta los éxitos futuros para justificar los esfuerzos presentes, como no hace falta el título para justificar los estudios. El entrenamiento de un soldado es honorable aunque nunca llegue a la batalla. Lo que hacemos en un tiempo tiene su validez en el tiempo en que lo hacemos, independientemente de los resultados que produzca en el futuro. En nuestra terminología, el camino es la meta, y el largo estudio de una tesis para el doctorado es tan sagrado y tan noble como el título de doctor que nunca llegó. Mi amigo murió como habían pronosticado los médicos. No llegó a completar su tesis doctoral, pero sí completó una vida llena que aún recuerdan con admiración y cariño todos los que lo conocieron en la India y en América.

El camino es la meta. Disfrutemos del camino.

EL PARTIDO DE TENIS

Más difícil todavía. Un dicho todavía más oscuro. Esta vez es de Lao Tse. El sabio chino resume toda la enseñanza y experiencia de su vida en una frase desconcertante que, de primera intención, más parece destinada a ofuscar que a iluminar. Este es el resumen de su autobiografía y el consejo práctico que da a todo discípulo para enfocar la vida en claridad: «Reposemos sosegados en el objetivo de no tener objetivo alguno». ¡Buen programa! La pereza de reposo sosegado y la falta de responsabilidad de negar todo objetivo. Nada de propósitos, finalidades, objetivos. Y eso como actitud permanente. Para siempre. Sin objetivo en acción alguna y sin objetivo en la vida. Y, encima, parece presumir de ello al proclamar a los cuatro vientos el secreto de su vida y la esencia de su filosofía. No tengas objetivo alguno, espera tranquilamente y disponte a continuar en esa actitud toda tu vida. Esa es la puerta de la sabiduría y el camino de la felicidad. Eso sí, no es tan fácil como parece. Sobre todo, no es fácil para quien haya vivido siempre proponiéndose objetivos y midiendo resultados. Ante todo, tratemos de entender qué es lo que quiere decir en concreto y cómo puede eso ayudar a vivir mejor. Si no entendemos lo que se dice, no nos podemos entusiasmar fácilmente con ello.

Aquí, otra vez, vuelvo a esperar que lo que ha ido por delante en el capítulo anterior pueda haber preparado el camino para lo que va a venir en éste. Al decir que el camino es la meta, Ramdas nos estaba exhortando de hecho a que dejásemos de lado todas esas metas que gobiernan nuestras vidas desde lejos, para concentrarnos en el momento presente, en el paso que estamos dando ahora. Esto quiere decir, en la práctica, que hay que olvidarse por ahora de la meta final, y la meta de Ramdas es precisamente el objetivo de Lao Tse. El objetivo, por noble y útil y necesario que parezca, pertenece al futuro, y aquí estamos tratando de aprender a reprimir el futuro para dar paso al presente. Ese objetivo futuro está bien si ayuda a actualizar y vivificar el presente; pero si, como sucede con frecuencia, la meta distante se convierte en obsesión atenazante, en objetivo imposible, en sueño enervante, entonces es mejor que se quede en su sitio, que es más abajo en el calendario, y que se espere allí en paz hasta que le llegue su día. Déjate de metas y enfréntate con los hechos. Olvídate de los sueños y arremete con la realidad. Falta de finalidad no significa falta de responsabilidad; al contrario, puede muy bien significar una mayor responsabilidad, al obligarnos a hacer frente a los hechos con plena seriedad, en lugar de refugiarnos en remotos planes de largo alcance.

Yo incluso sospecho que eso es lo que nos hace dar tanta importancia a planes, objetivos e ideales: en el subconsciente, queremos eludir la pesada carga de la vida diaria poniéndonos a planear con todo entusiasmo para el futuro; conspiramos para evitar el día de hoy ocupando nuestras mentes con el de mañana; eludimos la acción con los planes que hacemos para la acción; huimos de la realidad inventándonos la finalidad. Así es como perdemos la vida a fuerza de pensar en la vida.

Otra causa de nuestro idealismo es que transferimos a la vida privada los métodos de trabajo de la empresa pública. Para llevar una institución hay que ir planificando y examinando constantemente con métodos que se han estudiado y refinado extremadamente en nuestros días; y, hasta cierto punto, nos hemos dejado llevar de la misma tendencia y aplicamos a la vida interior métodos de administración de negocios. Pero la vida espiritual no es un negocio, el hombre no es una máquina, y un individuo no es lo mismo que un grupo. No confundamos las cosas.

Estoy tomando parte en una reunión del claustro de profesores de un centro universitario. El tema de la reunión es: planificación de objetivos. Cada facultad tiene que fijar en detalle los objetivos que se propone alcanzar en este año académico y, en consecuencia, a mitad y al final de cada semestre; y luego ha de enumerar los medios prácticos con que cuenta para realizar esos objetivos, y establecer un mecanismo de revisión periódica del sistema. Todo muy eficiente y muy exacto. Los resultados pueden medirse, y al final del año sabremos, con una precisión casi incómoda, qué tal ha funcionado cada facultad. El método es duro y nos va a hacer sudar todo el año; pero, si queremos llevar bien el centro, necesitamos disciplina y autocrítica, con todos los medios modernos de que podamos valernos. Asisto a toda la sesión y firmo las actas. Todo está en orden. Lo malo es cuando luego yo, como lo he intentado ya varias veces en mi vida, intento planificar mi vida como una institución y recurro a mi ordenador personal. Objetivos para mi vida espiritual, intelectual y social; medios para conseguirlos; fechas para la vigilancia y tope límite para el fin último. Todo muy claro, muy limpio, impreso en páginas de ordenador con caracteres electrónicos. Un esfuerzo digno de todo encomio. Y una empresa del todo inútil. Mi oficina no funciona, y la producción no aumenta. El futuro ha sofocado el presente. La planificación ha deshecho el encanto. Los objetivos, en vez de ser escalones para el éxito, han sido tropiezos hacia la caída. El resultado es la frustración. Al proyectarme sobre horizontes futuros he perdido el contacto con las realidades presentes, y la pérdida de contacto con la realidad es la mayor pérdida de la vida.

«Probablemente, nunca ha habido una generación tan llena de planes y propósitos como la nuestra, un pueblo que viviera tan enteramente para el futuro y con un grado tan alto de ansiedad por el mañana. Por eso mismo no ha habido nunca una generación tan vacía de sentido como la nuestra». Estas palabras de Alan Watts pueden hacernos pensar. Somos un pueblo «que vive enteramente para el futuro», una generación de planes, ideales, objetivos, metas, proyectos y propósitos. Una civilización de futuro. Nuestra economía lo dice: ahorramos para el futuro, pagamos el seguro social, aseguramos nuestras vidas y nos embarcamos en un plan de jubilación antes de poder pagarlo. Esa conducta financiera es sólo reflejo material de nuestra conducta emocional. En pensamiento y sentir, también vivimos en el futuro, y eso explica la tensión en que vive el hombre moderno: «un grado tan alto de ansiedad por el mañana». Un psicólogo defiende la ansiedad como «el vacío entre el ahora y el entonces», es decir, la distancia entre el presente y el futuro, y por eso un pueblo que vive en el futuro está condenado, como nosotros, a vivir en el negro vacío de la ansiedad. La ansiedad es el peso del futuro sobre la debilidad del presente. Cuantos más objetivos persigamos, mayor ansiedad sufrimos. Nuestras vidas conocen demasiado bien esa triste ecuación.

Con todo, la conclusión más llamativa que Alan Watts saca de su diagnóstico es la última: «Por eso no ha habido nunca una generación tan vacía de sentido como la nuestra». Es ésta una paradoja aparente que oculta una intensa verdad. A primera vista podría parecer que la vida, o cualquier acción concreta, deriva su sentido de su objeto; y, por consiguiente, cuanto más definido sea su objeto, más claro será su sentido. Pero en realidad pasa enteramente al revés: objetivo y sentido están en razón inversa: cuanto más haya del uno, menos habrá del otro. La razón no es difícil de ver, y arroja mucha luz sobre este momento de nuestra discusión. Es la siguiente: el objetivo se refiere al futuro, y el sentido al presente, y ya hemos visto la oposición irremediable entre ambos tiempos; por consiguiente, se excluyen y se evitan el uno al otro; más futuro, luego menos presente; más objetivo, luego menos sentido; más finalidad, luego menos realidad. Un poco metafísico es esto, pero es bien práctico e importante. Hemos sobrecargado la vida y todas sus etapas y actividades con tantos y tan dignos objetivos que su sentido ha quedado sepultado bajo ellos. Todo lo que hago o me propongo hacer en esta agitada tierra están tan lleno de objetivos, metas y esperanzas para esta vida y la próxima, que nos quedamos sin ver el bosque por culpa de los árboles. No puedo ver el presente, porque estoy ocupado tratando de entender los multiples resultados que esta acción mía puede tener en el futuro, y así me quedo con mucho objetivo que se conseguirá más adelante, y ningún sentido que disfrutar ahora. Mucho bien ha de resultar en un futuro más o menos lejano de esta acción mía ahora, y me alegraré de verlo y celebrarlo el día en que suceda; pero por ahora quisiera tener algo a que agarrarme hoy, algo que dé fuerza a mis brazos y alegría a mi corazón tal como están hoy, no en un futuro lejano que no sé cuándo vendrá. Diciéndolo clara y concisamente: vivimos «para», y es hora de que aprendamos sencillamente a «vivir». Déjate de planes y comienza a vivir. «Reposemos sosegados en la carencia de objetivos» era el lema de un hombre que disfrutó de cada minuto de su vida con cada fibra de su ser. «Carencia de objetivos» suena mal entre nosotros, pero podríamos adquirir perspectivas nuevas y útiles para aprovechar mejor nuestro paso por la tierra si nos reconciliáramos de alguna manera con esa expresión.

¿Para qué escribía música Mozart? Para pagar las facturas, sin duda, y para acallar los caprichos del arzobispo Colloredo; pero esa respuesta, por verdadera y práctica que sea, oculta otra más profunda y verdadera: Mozart escribía música porque le salía por todos los poros del cuerpo, porque se divertía enormemente componiendo, porque ésa era su misma naturaleza, su carácter, su genio. Decir que Mozart componía para ganar dinero es enteramente verdadero y enteramente inútil. La música de Mozart, en su verdadero e íntimo sentido, no tenía objetivo, y en eso precisamente está su frescura permanente y su inmortal belleza. El objetivo comercializa la música, como comercializa la vida. El verdadero artista entiende y disfruta con la «carencia de objetivos».

Los niños son artistas. Y los niños no tienen objetivo alguno en sus múltiples e incesantes actividades. ¿Por qué tiras la pelota, por qué corres, por qué bailas? ¿Por qué? Hacer la pregunta es perderse la juerga. Los niños juegan porque les divierte jugar; y será un bello día aquel en que podamos decir que nosotros vivimos porque nos divierte el vivir. Cuando nos hacemos como niños no necesitamos más filosofías. Y entonces descubrimos que el Reino de Dios está dentro de nosotros.

Un joven estusiasta fue a un maestro japonés para aprender las artes marciales. Preguntó: «¿Cuánto tiempo me costará?» El maestro contestó: «Cinco años» - «Eso es mucho tiempo. Si trabajo el doble que los demás estudiantes, ¿cuánto me costará?» - «Diez años». - «¿Y si redoblo mis esfuerzos y trabajo día y noche?» - «Entonces te llevará veinte años». - «Señor, ¿cómo es que, cada vez que yo redoblo el esfuerzo, usted dobla el tiempo?» - «Porque, si tienes un ojo fijo en la meta, no te queda más que el otro para encontrar el camino».

«¿Cuántos partidos de tenis se habrán perdido por pensar en ganar al tiempo de devolver el servicio?», pregunta Stewart Holmes en su libro *Arte Zen para meditar*. Y Michael Gelb, en *El cuerpo recobrado,* parece responderle con su propia experiencia. «Cierto día tuve que jugar un partido importante con un contrincante difícil. Ya había perdido el primer set, y estaba perdiendo el segundo por cuatro juegos a dos. Hasta entonces, había hecho un esfuerzo desmesurado para que no me eliminaran, y el sudor me corría a chorros por la frente; de pronto se me ocurrió pensar en mi apurada situación y en su importancia para la futura evolución del hombre, y vi claramente todo el humor del momento. Súbitamente, mi atención pasó del futuro (¿Quién ganará? ¿Qué diré si pierdo?) al presente (el contacto de la raqueta, el olor a tierra de la pista). Sin pensarlo, comencé a jugar de una forma soberbia. Gané el segundo set, y el tercero quedó en empate a seis juegos, lo que obligó a seguir jugando. Recuerdo con toda claridad mi sensación de desapego en aquellos instantes, a pesar de que el entrenador y el público se habían congregado junto a la pista. Durante la prórroga jugué el mejor tenis de mi vida, ganando todos los puntos sin esfuerzo. *Algo* ganó el partido. En estos momentos 'cumbre' o 'creativos', encuentro que la distinción entre medios y fines se desvanece, dejándome con la sensación del Eterno Presente» (p. 90).

CUÁNDO ESCALAR CUMBRES

La idea que voy tratando aquí es importante, y quiero clarificarla y profundizarla un poco. Tener un fin en la vida y un objetivo en cada acción ayuda a ganar fuerzas, enfocar energías y movilizar todos nuestros recursos para conseguir un fin concreto en un tiempo determinado. Pero, al mismo tiempo, también es verdad que cualquier finalidad de futuro nos distrae del presente, proyecta la mente hacia lo lejos, pierde contacto y nubla la realidad. Las dos cosas son verdad, y quiero explicarlas con una sencilla experiencia que a mí mismo me hizo reflexionar.

Me encanta caminar por los senderos empinados del monte Abu, en el Rajastán, donde he pasado muchas vacaciones felices entre rocas enormes y espesa selva, con la presencia instantánea, más de una vez, de un oso o una pantera a distancias temerariamente cortas. El pico más alto de la región es Gurushíkhar, y su ascensión no es ninguna hazaña de alpinismo, pero sí quita el aliento a ratos por los vericuetos verticales de las dos horas que lleva la aventura desde el pueblo. Salgo por la mañana temprano, a solas con la naturaleza que despierta a mi paso, con la mirada fija en la lejana cumbre y el propósito firme de alcanzarla y ganar el premio generoso de un horizonte sin límites hasta que la llanura de la India se hace cielo en la lejanía, y la tierra del Paquistán se adivina en la bruma incierta, y dos geografías se abrazan en continuidad hermana. Al cabo de un rato comienzo a sentir el cansancio, el sol va ganando altura e intensidad, se me acorta la respiración y llega un momento en que pienso que será mejor abandonar la empresa por hoy, dar media vuelta y volver a casa. Aún llego a tiempo para el almuerzo, y nada se ha perdido. ¿Qué necesidad tengo de establecer nuevos récords, quién me manda llegar allí hoy y qué gano con ver una vez más lo que ya he visto tantas veces? Nadie sabe que he venido y, en todo caso, no tengo que justificarme ante nadie, y menos que nadie ante mí mismo. Basta por hoy, y vuelta a casa.

Eso voy pensando entre el cansancio y el sudor de la larga subida. Pero entonces me vienen otros pensamientos. La cumbre sigue allí. La veo ante mis ojos, más cerca que cuando salí de casa. Y he decidido que hoy iba a subir hasta ella. La veo cada vez con mayor claridad según me voy acercando. El templo cónico, la gran campana a la entrada, el nicho con las huellas en piedra del guru Datátreya. Allí están y me llaman. Me he propuesto un objetivo y he de cumplirlo. Un paseo al azar podría durar más o menos, a voluntad; pero hoy se trata de un propósito firme, de una cita con la cumbre, y ella me la recuerda, me hace señas, me hipnotiza, da fuerza a mis pies y ritmo a mis pulmones, y me empuja hasta llegar a la meta, plantarme en la misma cumbre, llenar mi pecho con vientos de los cuatro puntos cardinales y obsequiar a mis ojos con el paisaje de lujo. Ya lo he conseguido. He llegado y aquí estoy. Si la cumbre no hubiera estado aquí, no habría yo encontrado fuerzas para llegar y me habría quedado a mitad de camino. Pero la meta concreta me hace olvidar el cansancio y no hacer caso del calor. Llego a la cumbre porque hay un sitio adonde llegar, subo porque hay una altura adonde subir. Mi paseo hoy ha sido más largo porque tenía una meta.

Y ahora otra experiencia. Otro día salgo a la misma hora y con el mismo propósito, pero esta vez mis pensamientos cambian por el camino. También iba decidido a subir hoy a Gurushíkhar; pero, al cabo de un rato, caigo en la cuenta de que estoy tan empeñado en llegar que no estoy disfrutando del caminar. No es sólo la vista desde la cumbre la que es bella, sino que también lo es cada una de las vistas a lo largo del camino, como lo es el mismo camino, las curvas y los repechos, los barrancos y los arroyos, los arbustos y los árboles, las perdices que atropellan a las hojas secas y los buitres que hacen geometría en el cielo. Me estoy perdiendo el paseo por ambicionar la cumbre. Así que, por hoy, vamos a dejarlo. Aflojo el paso y me olvido de distancias. Me volveré en cuanto me parezca oportuno, y no voy a hacer esfuerzos para alcanzar una meta fijada de antemano. El paseo es bello y completo en sí mismo, vuélvame yo cuando me vuelva, con cumbre o sin ella. Que sean mis pies los que escojan el camino, y mi cuerpo quien me diga cuándo quiere volverse. Mis miembros están tranquilos, y mi alma en paz. Hoy no hay Gurushíkhar. No hay campana del templo ni huellas sagradas. Y, sin embargo, ha sido una espléndida mañana.

Esa es la clara diferencia en el camino que es la vida. Tener un objetivo ayuda a escalar cumbres. No tenerlo ayuda a disfrutar del camino. Ambas cosas son buenas, y cada una tiene su hora. Pasarse la vida escalando cumbres acaba con la vida. Andar siempre en la llanura agota la perspectiva. La sabia mezcla de las dos actividades es el difícil arte de la vida.

Yo entiendo que el escalar cumbres, el concebir ideales, el deseo de cambiar el mundo y reformar la sociedad encaja mejor en los años jóvenes para llenarnos de entusiasmo y hacernos trabajar al máximo por mejorarnos a nosotros mismos y servir al prójimo. Si no tenemos una cumbre a la vista y un ideal en el alma, no es probable que sacudamos nuestra pereza inicial y nos lancemos a hacer todo lo posible en las nobles causas del espíritu y de la humanidad. Necesitamos motivación, sueños, incentivos para entregarnos con generosidad a la ardua tarea del vivir. Y, de hecho, así es como de ordinario empezamos. Nuestros primeros años en la formación y en el trabajo están marcados por el idealismo, la entrega y el esfuerzo. Es un magnífico comienzo. Que haya muchos Gurushíkhars en nuestra vida, muchos Himalayas y muchos Everest. Todos harán falta para sacar a flor y a fruto las raíces ocultas bajo capas de timidez, desconfianza y miedo. Para arrancar en la vida hace falta un fuerte empujón, y ese empujón viene del entusiasmo juvenil por las causs más grandes. Si no hubiera cumbres, no subiríamos.

El peligro viene cuando nos disponemos a pasarnos toda la vida escalando cumbres. Hemos adquirido tal hábito de escalar, de llegar lejos, de soñar ideales y conquistar cumbres, que ya no nos encontramos a gusto si no estamos metidos en una nueva empresa. Y aquí viene la etapa más delicada de la vida, difícil de reconocer porque es humillante de admitir. El hecho es que los fines que nos propusimos no han sido logrados, los sueños no se han hecho realidad, las verdaderas cumbres están todavía sin escalar. El mundo sigue, poco más o menos, tal como estaba cuando nosotros salimos a escena, y nosotros mismos seguimos arrastrando nuestras debilidades y nuestros defectos, igual que cuando empezamos y afirmábamos que en poco tiempo nos enderezaríamos a nosotros mismos y al mundo entero. Es el momento de la frustración. Dura palabra e inevitable realidad. El esfuerzo ha sido grande, y el resultado modesto. Hemos tensado el arco hasta no poder más, y ahora nos parece imposible tenerlo tenso y nos resulta vergonzoso aflojarlo. No podemos ya escalar más, y no «nos encontramos» a nosotros mismos sin hacerlo. Perderíamos nuestra dignidad si dejáramos de escalar. Y, sin embargo, vemos con demasiada claridad que ya no sirve de nada. Todo sigue como antes. Tantos fracasos como objetivos. Este es el momento peligroso que puede quedar marcado para siempre por un desilusión permanente, un cinismo velado, un formalismo endurecido bajo la carga de seguir haciendo lo de antes pero sin la fe y el celo de antes.

Hay que evitar esa crisis de confianza. Y aquí es cuando aquella dudosa expresión de «la carencia de objetivos» puede comenzar a tener un sentido positivo y ayudar a limpiar cumbres, recortar ideales, llamar sueños a los sueños y recobrar el aliento al caminar sin mapa ni brújula ni meta. Hace falta bastante sentido del humor para hacer eso, así con mucha humildad práctica y mucha madurez. Desde luego que seguiremos trabajando, y que ese trabajo que hacemos tendrá una finalidad oficial, una motivación programada, un resultado previsible; pero todo eso lo haremos con facilidd y soltura, sin agobiarnos por la necesidad de conseguir algo o la ansiedad de triunfar. Podemos tomarle el pelo al mundo dando la impresión de que tomamos muy en serio lo que por dentro sabemos que es sólo un juego. Seguiremos encontrando caminos y respuestas, pero no le daremos importancia a lo que de hecho no la tiene. No hay necesidad de demostrar nada, de llegar a ningún sitio, de convencer a nadie, y esa libertad trae gran tranquilidad al alma. Para conseguir esa libertad es para lo que aflojamos los controles de fines y objetivos en la vida y en el trabajo. La «carencia de objetivos» rinde su fruto al final.

Woody Allen, en el papel de Zelig, cae en un depresión al comprobar que su actividad carece de objetivo y su vida de sentido, que es lo único que podría dar valor y fuerza a su existencia. Un amigo le recomienda que vaya a ver a un rabino, el cual le explicará el sentido de la vida y el objeto de nuestra existencia terrena, y eso le ayudará a salvar la crisis. El va a verlo, y pocos días más tarde vuelve a encontrarse con su amigo. Al ver que todavía tiene el mismo aspecto de deprimido, su amigo le pregunta: «¿Fuiste a ver al rabino?» - «Sí», le contesta el otro tristemente. - «¿Y te explicó el sentido de la vida?» - «Sí, sí, lo hizo bien a fondo...» - «Pero...» - «Pero... ¡habló todo el rato en hebreo!» Sin duda, era un sabio rabino. Es posible que Lao Tse esté más cerca del Talmud de lo que imaginamos.

EL SECRETO DE LA INDIA

Las lenguas indias tienen una palabra, derivada del sáns-
crito, que resume brillantemente la filosofía India de la acción
y, con ella, toda la profunda mentalidad oriental y el secreto
a voces de la paz del alma que inspira y fomenta en medio
de la moderna civilización de la angustia. La palabra es «*kar-
ma-fal-tyag*». *Karma* quiere decir acción, *fal* es el fruto o
resultado, y *tyag* significa desprendimiento. Así que el vo-
cablo quiere decir «acción-fruto-desprendimiento» o, leyén-
dolo al revés, «desprendimiento del fruto de nuestras acciones». Las sagradas escrituras hindúes condensan en esa expresión toda su filosofía de actividad sin ansiedad, y Gandhi
basó en ella todo el movimiento popular para la independencia
de la India, consiguiendo el mayor logro histórico de nuestros
tiempos, la libertad de la India, mientras conservaba su alma
en paz y trataba de enseñar lo mismo a sus compatriotas y
al mundo entero; lección que aún tenemos que aprender.
Actividad plena en todo lo que hacemos, acción valiente,
entrega generosa; y, al mismo tiempo, desprendimiento interno absoluto del resultado a que den lugar nuestros esfuerzos. Ni orgullo si lo logramos, ni desilusión si fallamos.
Hicimos lo que teníamos que hacer al obedecer las órdenes
que nos dieron, y luego dejamos el resultado en las manos
de Dios con noble indiferencia y profunda paz. La acción

humana sólo es beneficiosa cuando el hombre está sinceramente desprendido del fruto de su acción. Sólo entonces puede mantener su tranquilidad en medio de una actividad frenética.

La mentalidad occidental busca esencialmente resultados. Lo que cuenta es la eficiencia, la productividad, el logro. Lo único que importa, a fin de cuentas, es el resultado final y, por muchos esfuerzos que se hayan hecho, todos serán inútiles si al final es la competencia la que se lleva el contrato, o el contrincante quien obtiene el empleo. En los negocios, lo que se mira es la cifra final, la ganancia neta, la gráfica en subida. Hay que obtener resultados, hay que demostrar éxitos. Ese es el único método para abrirse camino en la sociedad competitiva de hoy, de labrarse una carrera, de llegar a la cumbre. No basta estudiar si no se saca el título, no basta poner anuncios si no se vende el producto. Todo el mundo pide resultados, y por eso todo el mundo busca resultados y no puede hacer nada sin ellos. Incluso en la empresa interior de nuestra vida espiritual se nos exhorta a «sacar fruto» de la meditación diaria, y en los Ejercicios Espirituales de san Ignacio no se le permite al ejercitante pasar a la Segunda Semana mientras no haya obtenido el «fruto» de la Primera. Esta actitud es legítima y se entiende en un contexto occidental de fines y propósitos…, pero es totalmente ininteligible para un oriental, que ve en la contemplación algo deseable y completo en sí mismo, sin referencia alguna a un fruto ulterior que deba seguirse de ella. El hecho es que en Occidente son los frutos los que cuentan en todos los terrenos y ante todo el mundo; y hay que reconocer que a esa insistencia debe Occidente su actividad, su determinación y su eficiencia. Todas ellas son virtudes occidentales.

Pero esas virtudes tienen también su contrapartida, y estamos ya bien preparados a entenderla. Valorar los resultados ayuda, sin duda, al trabajo, pero lo malo de la ética de los frutos es que el fruto pertenece esencialmente al futuro, y al subrayar su importancia establecemos una tensión ente el esfuerzo que se hace hoy y el fruto que se recoge mañana. Ahí asoma el peligro. Estoy estudiando hoy, pero mi intención es aprobar el examen el mes que viene: semejante situación hace que se forme ese vacío entre presente y futuro que es la ansiedad, y me hace sentirme tenso y nervioso hasta el día en que se publican los resultados. Cuando lo importante es el resultado, yo quedo colgando hasta que llega…, para quedar inmediatamente colgado otra vez en espera del resultado del próximo esfuerzo. Una vida de tensiones y ansiedades. En cambio, si tengo la mente entrenada en concentrarse en el trabajo que lleva entre manos mientras continúa desprendida de todo resultado futuro, sea éste el que sea y venga cuando venga, encontraré con facilidad la paz del alma y el remedio a la espera, la tensión y el nerviosismo. No es fácil lograr esta actitud cuando se está preparando un examen importante, pero hay climas y atmósferas en que esta actitud se vive, resulta casi natural y alivia grandemente el peso del vivir.

Nunca olvidaré la encantadora espontaneidad con que el editor actual de mis obras en gujarati se presentó a sí mismo la primera vez que nos vimos, hace ya bastantes años. «Mi nombre es Kantibhai Shah. Editor y librero de oficio. Bachiller suspendido». Lo dijo con naturalidad absoluta. Yo conocía la expresión y supe al instante que había vivido un bello momento en mi vida. «Bachiller suspendido». Ese era su título. Había estudiado el bachillerato, había llegado a dar el último examen, y lo habían suspendido, quedando así su carrera académica cortada a las puertas de la universidad. Esa cándida expresión encarna toda una concepción y un modo de vida que es el que estoy tratando de describir aquí. Me dice que es «bachiller suspendido», y lo dice con la misma dignidad y respeto con que otro podría decir: «soy doctor en ciencias químicas». Su deber no era aprobar el examen, sino prepararlo y darlo. Eso lo ha hecho del mejor modo que ha sabido, y con eso se acabaron sus preocupaciones. Ha hecho su «trabajo» y prescinde de su «fruto». Esa es la actitud.

Aprobar o no aprobar no es asunto suyo, sino de los examinadores, que a su vez cumplirán con su deber y anunciarán el resultado. No ha pasado. De acuerdo. Se queda en «bachiller suspendido». Estaba desprendido del fruto de la acción (en la India, las sagradas escrituras las viven en su actitud práctica ante la vida aun aquellos que nunca las han leído), y ahora sigue adelante, dispuesto a aceptar el próximo trabajo que se presente con la misma alegría y la misma paz. Nada de traumas y nada de pesares. El editor presenta sus credenciales, y empieza el negocio. Lo envidio, y me gustaría poder decir en mis empresas espirituales lo mismo que él dice con tanta calma de su carrera académica. Soy un místico suspendido, un contemplativo fracasado, un santo que nunca llegó. He hecho lo que he podido, he dado exámenes en los cursos del espíritu y he suspendido. De acuerdo. Lo digo con toda resignación y dignidad. Seguiré estudiando y trabajando con la gracia de Dios, y me consuela pensar que Dios también sabe hacer uso de los que no tienen títulos académicos. Mi editor, con su «bachillerato suspendido», lleva muy bien la publicación de mis libros.

Rudyard Kipling, en *Kim,* da un ejemplo semejante de la misma expresión que puede pasar inadvertido a un lector no avisado. Cuando el lama amigo de Kim dicta una carta sobre él para el padre Víctor, el amanuense la escribe al dictado, y al final se identifica a sí mismo de esta manera: «Escrita por Sobrao Satai, Ingreso Suspendido Universidad de Allahabad». Esas eran sus credenciales. Había dado el examen de ingreso en la universidad de Allahabad, y lo habían suspendido. Un buen amanuense.

Por desgracia, la mentalidad y los valores occidentales se están filtrando en Oriente, y todos los elementos negativos del sistema de exámenes en colegios y universidades que heredamos con el colonialismo se están haciendo sentir también entre nosotros. Los exámenes crean tensión en los estudiantes y en sus padres, y la sagrada doctrina del desprendimiento del fruto de la acción queda nublada en la práctica por la competencia, la ansiedad, la lucha sin cuartel para conseguir un título o alcanzar un empleo. La sociedad de la eficiencia ha extendido sus garras hasta las orillas del Ganges. Muchos conquistadores han llegado a la India a través de los siglos, y todos ellos han sido conquistados a su vez por la larga paciencia y la asimilación gradual del ecumenismo indio. Si la India logra ganar esta última batalla y conservar su identidad serena bajo la nueva ola, ése sería el mejor servicio que pueda jamás hacerle a la sociedad moderna.

Para mí, ésta es la diferencia más profunda y radical entre Oriente y Occidente, y su estudio y aplicación puede ayudar a los pueblos de ambas partes del globo (que, desde luego, no tiene partes). He escrito sobre esto en otro lugar, y me permito el lujo de citarme a mí mismo. «En Occidente todo tiene un fin. El hombre es creado *para* alabar, hacer reverencia y servir a Dios nuestro Señor; el estudiante estudia *para* aprobar el examen; el empleado trabaja *para* ganar dinero; el matrimonio es *para* tener hijos; y todo el mundo come *para* vivir. Cada acción tiene su 'causa final' que determina, dirige, motiva la conducta humana por derroteros que definen a cada persona, ya que la causa final es, según el adagio escolástico 'la primera en concebirse y la última en ejecutarse'. Pero esta finalidad, al igual que la preferencia y el esfuerzo que conlleva, condiciona, limita y estrecha el horizonte de la realidad viva en cada momento del existir. La finalidad sacrifica el presente al futuro. Por eso el Oriente no conoce la finalidad. Cada cosa es lo que es, cada incidente es válido en sí mismo, cada instante es eternidad. No hay que buscar la validez del momento presente en el fruto futuro que pueda reportar. No. La acción de hoy es lo que es en plenitud existencial, que no necesita consecuencias felices para justificarse. Prescindir de la finalidad del fruto de la acción es premisa inalterable de paz oriental». (*Razón y Fe,* agosto 1988).

Ya he insinuado que hay que pagar un precio. Y el precio, en mercados occidentales, es elevado. El precio que hay que pagar para obtener la tranquilidad oriental derivada del desprendimiento de los resultados es la devaluación de la eficacia y la excelencia como fines de nuestra actividad profesional. Si el resultado no cuenta, el interés de hacerlo bien, el ideal de la eficacia y el halo de la excelencia pierden su resplandor y, en consecuencia, la calidad del trabajo bajará. Sí que baja. Al Occidente se le conoce por su eficiencia; al Oriente no; y ésa es la diferencia entre trabajar por obtener resultados y sentirse indiferente a ellos. Al trabajador indio lo único que le concierne es estar en su puesto de las once de la mañana a las cinco de la tarde, haciendo más o menos lo que le encargan que haga, sin ninguna prisa especial ni meta exigente. Allí está, y allí va haciendo lo que le dicen. Si el aparato que él está fabricando funciona luego o no, eso no le toca a él. Él está desprendido del fruto de su acción... aunque el comprador puede que no lo esté e incluso tenga la insolencia de quejarse si es que el aparato después no funciona. El trabajador ha hecho su trabajo, ha observado el horario, y con eso ha cumplido con su deber. Y no se preocupa de más. Semejante actitud puede ayudar al trabajador a tener su alma en paz mientras trabaja, pero no va a garantizar un buen negocio. David MacLleland, en su libro *«Power»*, página 153, da varios ejemplos concretos de esa actitud en la India que observó durante una de sus visitas. Yo voy a dar aquí otros ejemplos de mi propia cosecha.

Ya he hablado de las montañas de Abu y mi amistad con ellas. En medio mismo de su perímetro terciario hay un sorprendente lago que los dioses excavaron con las uñas (de ahí su nombre: «el lago de las uñas»), y el ayuntamiento de la localidad decidió hacer un jardín público en su orilla norte. Una pieza ornamental de ese jardín iba a ser una pequeña cúpula con una única columna central como una sombrilla abierta, bajo cuya sombra podrían sentarse plácidos ciudadanos a contemplar las aguas y los botes de recreo y los enormes peces que se apropian el lago con la tranquilidad que les da una veda estricta y rigurosa. Se levantó la sombrilla, y yo observé día a día a los obreros cuando fijaron el encofrado, cuando prepararon la mezcla, cuando echaron el cemento y todo quedó listo. Esperaron los días que tenían que esperar para que fraguara el cemento y pudieran retirar el encofrado y dejar al descubierto la sombrilla protectora. Llegó el día fijado, y yo me dispuse a contemplar el estreno de la sombrilla de cemento. Quitaron una a una las tablas protectoras, aflojaron las planchas de arriba para quitarlas simultáneamente por todos los trabajadores situados alrededor del monumento para admirar a una el trabajo acabado. Lo que de hecho admiraron, y yo con ellos, fue el derrumbamiento instantáneo y completo de la estructura entera. Toda la enorme sombrilla descendió suavemente a una sobre el suelo, y los pedazos de cemento inútil quedaron esparcidos en forma de círculo, descansando ellos donde debería haber descansado su sombra. Nadie se lastimó, y yo incluso llegué a sospechar que esperaban el resultado y tenían experiencia de derrumbamientos en otras ocasiones. Lo que me devolvió a la realidad fue su reacción. Cuando cayó la obra de arte, todos ellos se echaron a reir con todas sus ganas. ¡Buena salida! Yo hubiera esperado una expresión de disgusto, preocupación, desilusión, molestia, echarse la culpa unos a otros y sentir miedo de la investigación que se seguiría y las consecuencias molestas que podía traer para todos. Nada de eso. Lo pasaron en grande, recogieron los pedazos rotos, los dejaron en un rincón y se marcharon como si tal cosa. Habían hecho su trabajo, y no había que darle vueltas. Su trabajo era preparar el molde y echar el cemento. Y eso lo habían hecho. Si la sombrilla quedaba en pie o no, no era cosa de ellos. Y nadie se preocupó por ello. El caso quedó sin investigación, y el jardín sin sombrilla. Se había llevado a cabo una acción, y había quedado sin resultado alguno. No sé si eso es exactamente lo que quieren decir las escrituras sagradas hindúes, pero ésa era, en todo caso, su aplicación práctica. Se mantenía el buen humor de los trabajadores... a costa de la eficiencia de su trabajo.

A poca distancia del «lago de las uñas» hay un pequeño puente sobre el río que alimenta al lago. El puente se reconstruyó, y esta vez, gracias a Dios, resistió el tráfico. Pero no sin un incidente significativo. A ambos lados del puente se habían fijado unas barras horizontales de hierro, a modo de barandilla, para proteger a los peatones y que no cayeran al río. El nuevo puente se inauguró por la mañana, y aquella misma noche alguien robó las barras de hierro de la pasarela, pensando sin duda darles otro destino más útil. A la mañana siguiente, el puente apareció desnudo sin la barandilla protectora. Nunca volvió a ponerse. Y el principio era el mismo. El ayuntamiento había cumplido con su deber al proporcionar la barandilla como parte del proyecto del puente. El resultado concreto de una estructura permanente para la protección de los peatones no entraba en la consideración. Cumple con tu deber y olvídate del resultado. No hay barandilla. Los peatones tienen que andar con cuidado al cruzar el puente. Y nadie se queja.

George Mikes tuvo una experiencia similar en el Japón: «El aire acondicionado en nuesta habitación del hotel no funcionaba bien, con lo que la habitación a ratos parecía un infierno y de repente se transformaba en una nevera. Todos los días le rogábamos al conserje en recepción que ordenara arreglarlo. Nuestra queja quedaba anotada con exquisita cortesía por su parte, e inmediatamente quedaba también olvidada. Por fin, un día apareció un hombrecillo con una escalera de mano y una linterna. Entró, hizo una profunda inclinación y sonrió. Subió a la escalera, encendió la linterna e hizo girar su luz por la reja. Se bajó, sonrió, agarró la escalera y se marchó. El aire acondicionado siguió sin funcionar. Al día siguiente volví a la recepción, sonreí, hice una profunda inclinación y volví a quejarme, informando al conserje que seguíamos derritiéndonos y helándonos. Esa actitud me marcó como un aburrido y maleducado extranjero sin remedio. ¿No se había presentado el hombre? Sí, presentado. Eso era todo lo que hacía falta. Desde el alto punto de vista de la filosofía oriental, no tenía nada que ver que el aire acondicionado funcionase o no. El hecho de que el mecánico hubiera venido probaba que mi queja había sido escuchada, atendida, tratada con respeto. ¿Qué más quería yo?» (*The Land of the rising Yen,* página 77).

Es interesante que esta experiencia viene del Japón, y que la víctima la atribuye a «el alto punto de vista de la filosofía oriental». El Japón tradicional tiene en común con la India, a través del budismo, el culto del presente y, en consecuencia, el hacer desaparecer el futuro y sus resultados tras un velo de indiferencia intencionada. El Japón moderno, por otra parte, rinde homenaje a la eficacia y exige resultados, y la tensión entre esas dos tendencias opuestas está haciendo estragos en la generación japonesa moderna. El dilema es: paz interior a costa de eficacia exterior, o eficacia en la acción al alto precio de la ansiedad en el alma. El ideal, desde luego, sería poder combinar lo que de bueno hay en cada actitud y conseguir tranquilidad y eficacia a la vez. En la expresión genial de un manual japonés para reparar moticicletas, «la primera condición para reparar una moto es tener el alma en paz». Eso es más fácil decirlo que hacerlo, sobre todo para los que nos hemos pasado la vida resaltando la importancia de los resultados, el éxito, el perfeccionismo y la consecución de objetivos concretos a plazo fijo. Nos resulta difícil entregarnos a una tarea con ardor y entusiasmo y con todos los medios modernos de programación lineal y control de calidad, y tener al mismo tiempo la mente serena y tranquila, pase lo que pase y venga lo que venga. Hora es ya de tomar ciertas opciones y decisiones.

Gurdjieff inculcaba esta misma lección a sus discípulos con métodos un tanto drásticos. Les ordenaba construir una casa con todo cuidado y detalle y, cuando estaba acabada, ordenaba a los mismos que la habían construido que la destruyeran por completo. Manera radical de acostumbrarlos a que trabajasen con toda el alma en lo que hacían, sin preocuparse por el resultado que había de tener o no. Desprendimiento del fruto de la acción en versión gráfica.

Las escrituras sagradas hindúes tienen todavía otra palabra, *nishkam-karma,* con sentido parecido, esto es: «trabajo-sin-apego»; y a Gandhi le llamaron *karma-yogui,* o «el yogui de la acción», el hombre que practica la disciplina, el desprendimiento, la concentración, la contemplación del yoga en medio de la actividad más entregada, aunque ésta sea la tarea hercúlea de liberar a una gran nación de las garras de un poderoso imperio. Cruzando siglos, encuentro el eco familiar del ejemplo de mi padre san Ignacio, a quien Nadal definió como *«in actione contemplativus»,* contemplativo místico en medio de la más ferviente acción. Quizá hayamos rebajado algo la contemplación al entregarnos a la acción. Es hora de volver a encontrar el equilibrio.

LOS PIES BAILARINES

Dos maestros de Zen tenían sendos discípulos favoritos, los cuales, no habiendo alcanzado aún la perfección, luchaban en duelos verbales y trataban de derrotar el uno al otro en discusiones filosóficas. Se encontraban todos los días camino del pueblo al que iban a hacer los encargos diarios de sus amos, y preparaban de antemano preguntas para dejar al adversario sin respuesta. Un día, el discípulo del primer maestro le preguntó al del segundo al encontrarlo en el camino: «¿Adónde vas?» El otro contestó: «Voy adonde mis pies me llevan». El primero quedó desconcertado con esa respuesta inesperada y no supo ya qué decir durante el resto del camino. De vuelta con su maestro, le refirió lo ocurrido y le pidió consejo. El maestro le dijo: «Mañana pregúntale lo mismo y, cuando te diga que va adonde sus pies le llevan, úrgele: 'Y si no tuvieras pies, ¿adónde irías?' Eso le hará callar». El discípulo obedeció, y al día siguiente volvió a preguntar a su rival al encontrarlo en el camino: «¿Adónde vas?» Le contestó: «Voy hacia donde sopla el viento». El primer discípulo volvió a dar cuenta de su derrota, y su maestro le instruyó: «Mañana, cuando él conteste: 'Voy hacia donde sopla el viento', tú insístele: 'Y si no hubiera viento, ¿adónde irías?', y eso le ajustará las cuentas». El discípulo lanzó otra vez su pregunta al tercer día: «¿Adónde vas?» Y su compañero de camino le contestó alegremente: «Voy al mercado a comprar verdura». Y así acaba el cuento.

Esta pequeña historia me deleita en el fondo más secreto de mi alma. A mí mismo me asombra el deleite tan puro y «etílico» que me produce. El discípulo va adonde van sus pies. A primera vista parece pura ligereza y falta de responsabilidad, pero el estudiante de Zen sabe que no es así. Hay mucha sabiduría encerrada en esa respuesta. Los pies saben perfectamente adónde han de ir, como lo sabe la mente y lo sabe el cuerpo entero. El hombre es una unidad, un todo bien organizado, y cuando surge dentro de él una intención concreta, todo su organismo queda informado al instante de ella. Ahora va al mercado, y sus pies lo llevan allí. Coordinación callada de miembros y pensamiento. Cuando llegue al mercado, ya surgirá también por dentro qué es lo que quiere hacer allí, y se encontrará con que lo hace con la mayor naturalidad. Cada cosa a su tiempo. Vivencia del presente. Fiarse del cuerpo, que es el mejor amigo del hombre. Y alegría rítmica para bailar el camino al compás de los pies que saben la música y llevan la batuta. Y no sólo es de los pies de los que hay que fiarse, sino de la naturaleza entera, de los campos, y los árboles, del polvo y de las piedras, de las nubes y del viento. Voy adonde me lleva el viento. También el viento conoce y acompaña la peregrinación del hombre sobre la tierra y el caminar diario del discípulo al mercado. El viento sabe y el viento dirige. En connotación cristiana, el viento es el Espíritu que sopla donde quiere y no sabemos de dónde viene ni adónde va, pero aceptamos el origen y seguimos la dirección. No hay que oponerse al viento, y menos aún hay que ignorarlo. La voz de la naturaleza, la sabiduría de la creación, los signos de los tiempos. Sigue adelante, juega con la brisa y escucha su mensaje. Y con la misma naturalidad y verdad puede también decir el discípulo: «Voy al mercado a comprar verdura». Viene a ser lo mismo. Sus tres expresiones son sólo traducciones, a distintos niveles, de un mismo y sencillo hecho. Se puede expresar como el encargo casero de comprar verduras, como la conciencia cósmica del mensaje del viento, o como la inocente chiquillada de dejar a los pies que vayan adonde quieran. La realidad es la misma, y sólo las actitudes cambian. Casi todos nos pasamos la vida entera en la servil tarea de ir al mercado a por verdura. Sólo algún alma grande, algún maestro iluminado, se divierte con sus pies jugando a ir adonde lo lleven.

Esa es, de hecho, la respuesta al famoso koan: «¿Por qué fue Bodhidharma a China?» Bodhidharma fue el monje budista que fue de la India a China en el siglo sexto y estableció allí la doctrina del Zen. La respuesta, históricamente hablando, es, en consecuencia, directa y sencilla. Se podía preguntar, por ejemplo, en perfecto paralelo: ¿por qué fue san Francisco Javier a la India?, ¿por qué fue Marco Polo a China?, ¿por que fue Colón a América? Cada uno fue por un fin concreto, a predicar el cristianismo, a encontrar nuevas rutas de comercio y aventura, a descubrir nuevos mundos. Fines concretos que motivaron e hicieron posibles grandes hazañas en la historia. A ese mismo nivel, libros de texto contestan a la pregunta, ¿por qué fue Bodhidharma a China?, con el hecho evidente de que fue a predicar el budismo en aquellas tierras. Pero el koan no es tan sencillo, y su respuesta nunca es directa. El koan desafía a la lógica, desarma a la mente, sorprende a la razón con la novedad descarada de la respuesta sin respuesta. La solución esotérica al koan «¿Por qué fue Bodhidharma a China?» es, en plena seriedad bromista: «Porque sus pies lo llevaron allá».

¿Por qué escribo este libro? Porque mis dedos están tocando las teclas de la máquina de escribir. Linda respuesta. Si le doy esa respuesta a un amigo o a un editor, lo más que puedo esperar como reacción es una sonrisa indulgente ante la fracasada intentona de humor, pues ellos saben muy bien que tengo otros fines al escribir, y de nada me sirve tratar de ocultárselos a ellos. Lo sé y lo reconozco, pero también sé y siento que hay algo muy bello y profundo en esa respuesta desaforada, aunque no sea fácil de explicar. Me bullen ideas en la mente y deseos en el corazón, me surge la vida en el cuerpo y la sangre en las venas, y los dedos de las manos me están ardiendo con toda la vitalidad que llevo dentro y que se hace figura en mi mente y latido en mi corazón, movimiento en mis miembros... y locura imparable de aporrear teclas de máquina de escribir en las puntas de los dedos. Que dancen los dedos sobre el teclado con la música que hace vibrar toda mi alma y mi cuerpo, y que sus pasos vayan marcando las huellas que deja el pensamiento humano en tinta y papel. Que me olvide yo por completo de fines, contratos, planes, esquemas, derechos de autor y corrección de galeradas, lectores y críticos, y escriba, pura y limpiamente, por escribir, sin preocupación alguna ni plan de ninguna clase. Que se encarguen mis dedos; ellos me conocen bien, son parte de mi ser y tienen pleno derecho a representarme, a jugar a lo que quieran y luego atribuirme a mí todo lo que hagan. Yo los defiendo, acepto lo que hagan en nombre mío y disfruto con su alegre danzar. Los dedos saltarines; los pies saltarines; símbolo e instrumento del mejor trabajo del mundo, porque es también el mejor arte.

Todo escritor consciente sabe que el mejor libro es el que se escribe a sí mismo. Sin esfuerzo, sin trabajos forzados, sin vigilias nocturnas. Sólo el cielo abierto, la brisa amiga, la idea súbita, la imagen atrevida, la palabra encantada. Vienen por su cuenta y se van por su cuenta. Las ideas fluyen como danzan los pies. Las palabras brotan como vuelan los pájaros. No hay que madrugar ni hacer horas extraordinarias. Demasiado planear, investigar, verificar, comparar, corregir, acicalar, escribir y volver a escribir podrá revelar estudio y proclamar perfección, pero no aliviará al alma con imaginación y creatividad. Que el libro se escriba a sí mismo, que la ideas se abran camino a su manera, que las palabras se vayan asentando a codazos. Ellas saben al lado de quién quieren acomodarse sobre el blanco papel. Este es su reino, su campo, su terreno de juego, su pista de baile. Que lo usen como quieran. Que jueguen a lo que quieran. Cuando se les permite jugar como quieren, el juego explota en alegría y la tierra se estremece. Si el esfuerzo se nota, desaparece el encanto. El día feliz en la vida del escritor es cuando escribe sin casi saber lo que ha escrito, cuando se convierte en medio, en canal, en agente de un poder arrollador que surge de sus entrañas y le dicta rimas celestiales en lengua de ángeles. Se admira de lo que escriben sus manos y reconoce con humildad obligatoria que él apenas toca las ondas que sacuden su alma en inspiración irresistible. El libro se escribe por sí mismo ante la mirada atónita de un corazón agradecido. Los pies andan por sí mismos, y sólo hay que seguir la dirección que marcan. Los pies bailarines. Secreto de alegría.

La sencilla idea de seguir a los pies adonde vayan tiene mucho más fondo y transcendencia de lo que parece. No sólo es bella poesía, sino práctica realidad. Es caer en la cuenta de que fines y objetivos en la vida no son tan importantes para el progreso como les hacemos ser; y, al contrario, a veces pueden incluso resultar contraproducentes. Hay que aprender a contrarrestar un poco la planificación de una vida obligada. Cierto número de exploraciones sin rumbo nos vendrían bien. Son la mejor manera de explorar la selva de la vida. Dejarse de metas, al menos por una temporada, y comenzar a entrever que la expresión «carencia de objetivos» puede incluso aparecer con cierto grado de respetabilidad. Ése al menos era mi objetivo al escribir esto.

EL MENDIGO Y EL REY

«Iré a tu casa a verte en navidades. Siento no poder ir ahora, pero me es totalmente imposible encontrar tiempo estos días; en cambio, en navidades seguro que tendré tiempo y me acordaré y no dejaré de pasar por tu casa. Ya te llamaré antes por teléfono para fijar la hora, pero seguro que iré» - «¿Seguro?» - «Seguro». - «¿Prometido?» - «Prometido. Me tendrás en tu casa en navidades». - «Te espero».

Diálogo inocente y sencillo que puede tener lugar en cualquier esquina con la mayor naturalidad del mundo y sin que nadie sospeche las consecuencias que puede traer. Yo mismo era en este caso el protagonista del diálogo, y acababa de prometerle a mi amigo que iría a verlo a su casa en navidades. Promesa fácil de cumplir, hecha con toda buena voluntad por mi parte, incluso con alegría, pues le tenía cariño a mi amigo y me ilusionaba visitarlo en su casa. Tampoco se había empeñado demasiado él, ni yo me había sentido obligado; había sido sólo una invitación sincera por parte suya y un aceptar agradecido por la mía. Yo hice la promesa libremente, y él la recibió con el mismo espíritu de intimidad. Los dos nos sentimos satisfechos en aquel momento. La seguridad de mi futura visita le suavizó a él la desilusión de mi negativa a ir entonces, y mi promesa de ir en navidades me consoló a mí de la imposibilidad de hacerlo en aquel momento. Se trataba de una acción concreta que no me era posible en el presente, y en su lugar ponía yo una promesa de futuro. La cosa más corriente del mundo. Y la equivocación más corriente del mundo. Sencilla y auténtica como era la promesa, me creó problemas, como suelen crearlos las promesas por mucho que se sientan de verdad y se den libremente. ¿Por qué crean problemas las promesas?

La promesa crea problemas porque pertenece al futuro, y el futuro no está en mis manos y no sé cómo resultará. Ahí duele. Al hacer una promesa, doy algo que no es mío en el momento de darlo, fijo una fecha que no sé si llegará y me comprometo a realizar una acción que no sé si ese día podré llevar a cabo. Prometer es pedir tiempo prestado, y pedir prestado puede crear problemas.

Eso me sucedió a mí. Llegaron las navidades, yo estaba aún más ocupado que de costumbre y, a pesar de todos los esfuerzos que hice, no pude sacar una tarde libre para ir a visitar a mi amigo. Me acordé de mi promesa e hice todo lo posible, pero no lo conseguí. Entonces vi claramente el nudo con que había quedado atado por la dichosa promesa. Mal si la cumplo, y peor si no lo hago. Si decido cumplir la promesa, dejar a un lado algún trabajo importante y forzarme de alguna manera a hacer la visita, lo haré, sí, pero lo haré a costa mía y a costa de otro trabajo importante, y eso me hará sentir enfado interno contra mi amigo, sin culpa alguna suya, desde luego, pero furioso por dentro por haberme obligado a hacer algo que me ha resultado molesto cumplir. Y si, por el contrario, decido no ir a verlo en navidades como había prometido, no parará él de echármelo en cara, y yo me reprocharé a mí mismo por mi falta de palabra. «Lo prometí y no lo hice». «Prometiste que vendrías y no viniste». Reproches por dentro y por fuera. Sufro si voy, y sufro si no voy. He caído en una trampa tendida por mí mismo. He dado lo que no era mío, y ahora me encuentro con que no lo tengo para darlo. Me está haciendo pasar un mal rato y no puedo echarle la culpa a nadie más que a mí mismo.

Entonces, ¿no puedo hacer promesas? Sí puedo decirle a mi amigo: «Mira, tengo verdadero deseo de ir a verte a tu casa; no puedo hacerlo ahora, pero me imagino que tendré tiempo en navidades; y, si es así, desde luego que iré a verte; ya te avisaré». Esa declaración es clara y prudente y evita todos los problemas. Demuestra mi deseo y admite mi limitación. Quiero ir, y lo haré si tengo tiempo; pero nada de promesas ni de obligaciones. Nada de acusaciones o recriminaciones si llega la fecha y no puedo ir. Y tanto más gozo si es que puedo y lo hago.

Un mendigo se acercó al rey Yuddhísthir, en el Mahabhárata, cuando el rey acababa de cerrar la sesión diaria de repartir limosnas. El rey le dijo: «Hoy se ha pasado la hora; ven mañana y te daré algo». El mendigo insistió: «¿De verdad que me darás alguna limosna si vengo mañana?» El rey, conocido en todo el reino por su munificencia y su amor a la verdad, lo tranquilizó: «¡Desde luego que te daré! Nadie ha dudado nunca de la veracidad y la generosidad del rey». El mendigo se marchó y comenzó a correr por todas las calles de la ciudad dando gritos y diciendo: «¡Venid todos! ¡Venid a ver el milagro de los milagros y la maravilla de las maravillas! ¡Venid a ver la gloria de nuestro rey! Hoy ha dejado de ser un mortal como nosotros y se ha convertido en un dios. ¡Sabe ya hoy lo que va a suceder mañana! ¡Sabe que estará vivo y que yo iré a suplicarle y que él me dará limosna! ¡Nuestro rey es dueño del futuro! ¡Gloria a nuestro rey y nuestro dios! ¡Venid a adorarlo!» El rey oyó los clamores y preguntó la causa. Cuando sus ministros, por fin, se la dijeron, él admitió: «Hoy el mendigo ha sido el rey, y el rey, mendigo. El me ha dado una lección, y yo no sé si podré darle algo mañana».

Cada vez que hacemos una promesa, nos pasamos de largo y abusamos de nuestros derechos. Disponemos a nuestro gusto de un futuro que no es nuestro. Y, sin embargo, nos cuesta admitir esto y renunciar a nuestro supuesto derecho a hacer promesas. Todo el mundo ha oído, o al menos ha leído, las palabras eternas: «Te amaré siempre». Toda la literatura romántica de todos los tiempos y en todos los estilos se basa en esas palabras. Sin embargo, esas palabras son un claro, por más que perdonable, abuso por parte de quien las pronuncia. De hecho, la trama literaria comienza cuando esas eternas palabras pierden su eternidad y las encontramos en boca de la misma persona, pero dirigidas ahora no al mismo amante, sino a otro distinto, mientras el primero se desconsuela. El mismo sentimiento podría expresarse con mayor realismo y veracidad de esta manera, u otra parecida: «Te amo con toda mi alma, quiero quererte siempre como te quiero ahora y no puedo ni imaginar que deje nunca de quererte o que te quiera menos que ahora. Con todo, yo no sé qué es lo que el futuro traerá y cómo cambiarán nuestros mutuos sentimientos, si es que cambian. Te doy ahora todo lo que ahora te puedo dar, y pido y deseo que te pueda dar el mismo amor hasta el fin de mi vida». Esta expresión es mucho más exacta, pero me temo que con tanta precisión y cautela no encajaría fácilmente en poemas y novelas de efecto rápido. Las eternas palabras continuarán diciéndose y, en consecuencia, las eternas riñas continuarán produciéndose. Hagamos promesas, si es que no hay más remedio, pero tengamos en cuenta nuestras limitaciones y no abusemos de un futuro que no es nuestro. De hecho, cuanto mejor entendamos y aceptemos nuestras limitaciones, mejor dispuesto estará nuestro amor a continuar firme a través de las tormentas que no dejarán de envolverlo. «Te amo ahora y quiero amarte siempre». Eso es amor con sabiduría.

Lo mismo se aplica a los propósitos. Un propósito es una promesa que yo me hago a mí mismo. Voy a dejar de fumar. No volveré a enfadarme. Me levantaré todos los días a las cinco de la mañana. Una tal actitud de reforma y mejora puede ser muy noble y demostrar una gran conciencia de nuestros defectos y gran generosidad en atacarlos. Pero, así formulada, involucra también al futuro, y eso exige precaución y humildad. Por mucho deseo y fuerza de voluntad que yo tenga, no puedo garantizar qué es lo que haré mañana cuando el despertador suene a las cinco, ni mucho menos qué haré al cabo de tres meses o un año. Sencillamente, no lo sé. Y, si me he obligado con una promesa solemne a levantarme a las cinco, y resulta que todavía estoy entre las sábanas a las siete, me sentiré culpable, desanimado y despreciable, que es mucho peor que levantarse tarde por las mañanas. El mendigo del Mahabhárata podría enseñarnos un par de cosas a este respecto.

Promesas y propósitos están bien si se tratan con cuidado y se mantienen dentro de sus límites. En sí mismos son una «declaración de intención» que demuestra nuestra actitud presente con el deseo de que dure, y una oración a Dios para que bendiga nuestros esfuerzos y dirija nuestros pasos en los caminos de la vida que nos quedan por recorrer. Quizá se aplica aquí también el dicho de Jesús cuando nos exhorta a que nuestro hablar sea sencillamente «sí» o «no», y todo lo demás sobra. Ni promesas ni juramentos, sino la generosa inclinación del corazón con la divina gracia, y la firme confianza de que el futuro ya se encargará de sí mismo si nosotros sabemos vivir hoy de lleno el presente.

Sí, si puedo venir a tu casa en navidades, yo seré el primero en alegrarme. Ya te avisaré a tiempo cuando llegue la hora. Con todo cariño y sin ninguna obligación. Nuestra amistad está asegurada... por ahora, que es todo lo que podemos decir.

LA ORUGA Y LA MARIPOSA

La paradoja del cambio es fácil de entender y muy útil en su aplicación. Dice sencillamente que el cambio se consigue no a fuerza de planificar el futuro, sino viviendo plenamente el presente. Cuando estoy plenamente donde estoy, haciendo lo que hago y siendo lo que soy, mi organismo siente por sí mismo cuál ha de ser el próximo cambio y me prepara para él, con suavidad y eficiencia, para llevarlo a cabo cuando llegue el momento y la naturaleza despierte en mi alma a una nueva primavera. Cuando el fruto está plenamente unido al árbol, en contacto vital de savia y tejido, crece y madura día a día, hasta que conoce su propia plenitud y se deja caer, con la dulce blandura de su forma perfecta, en las manos cariñosas de la madre tierra. Si lo arrancamos antes de tiempo y lo forzamos, con manipulaciones químicas, a madurar artificialmente lejos de su entorno, no haremos más que destruir su dulzura. El cambio tendrá lugar casi por sí mismo, si continuamos en contacto con el árbol y dejamos que la savia de la divina gracia nos llegue en el silencio y la paz en que crecen los árboles y los hombres.

Nos equivocamos cuando tratamos de forzarnos a cambiar, y esa equivocación es, por desgracia, demasiado frecuente. Nos impacientamos con nuestros defectos, nos mortifican nuestra estupideces, nos irrita nuestra lentitud. Queremos avanzar, queremos mejorar, queremos reformarnos, y nos ponemos a ello con noble celo y no menos nobles prisas. Planes y propósitos y objetivos y controles. Esto hay que conseguirlo para esta fecha, esta mala costumbre hay que desarraigarla y este buen hábito hay que adquirirlo sin tardar. Buena voluntad a montones y esfuerzos sin escatimar. ¿Y el resultado? Fracaso tras fracaso. Los cambios programados no llegan a efecto, los viejos hábitos persisten y los nuevos propósitos no duran. Vuelta a empezar. Durante muchos años, nuestras vidas son una serie de propósitos hechos y propósitos archivados. No hemos aprendido la dinámica del cambio, y la buena voluntad que, sin duda, tenemos se estrella contra la dura realidad de nuestra rebelde tozudez. Es hora de que aprendamos algo de las intrigas políticas de la mente humana. Eso acelerará nuestro progreso interior.

No se puede cambiar por decreto. No podemos encargar el cambio como si fuera una paella o un traje. Al contrario, al marcarnos a nosotros mismos una dirección a seguir, desencadenamos sin saberlo una oculta oposición, una corriente contraria de disensión interna que anulará secretamente todos nuestros esfuerzos por conseguir el fin propuesto. Todos nos hemos encontrado en la situación de querer acordarnos de un nombre durante una conversación, decir que lo tenemos en la punta de la lengua, sacudir todos los rincones de la memoria hasta dejarlo por imposible... y acordarnos del dichoso nombre en cuanto la otra persona se marcha, se acaba la conversación y ya no podemos decírselo. El intenso deseo de acordarse cierra el paso a la memoria, y de la misma manera el intenso deseo de cambiar cierra el paso al cambio. Así es como nuestra naturaleza funciona, y esta sencilla información nos puede servir de mucho cuando nos ponemos a reformar nuestra vida y a dirigir su progreso. Por lo menos ya sabemos cómo no cerrarnos el paso a nosotros mismos.

No cambiamos con intentar ser lo que no somos, sino siendo plenamente lo que somos. Ese es el secreto. No cambiamos por mirar al futuro, sino con vivir el presente. Cuando soy total y generosamene todo lo que puedo ser y quiero ser en la presente situación, comienzo a sentirme por dentro preparado para pasar a la siguiente; cuando soy ahora todo lo que puedo ser, comienzo con toda espontaneidad y naturalidad a ser algo nuevo. La plenitud del presente lleva por sí misma a la novedad del futuro. El hoy florece en el mañana cuando es plenamente hoy, no cuando pretende ser ya el mañana con prisas impacientes. El cambio ocurre precisamente cuando no nos ocupamos de él, cuando no lo forzamos, no lo imponemos, no lo buscamos. Dejadme ser hoy plenamente lo que soy, y mañana despertaré en un mundo nuevo.

Un ejemplo. Todos sabemos que la oruga se vuelve crisálida, y la crisálida, mariposa, que es un bello ejemplo de la naturaleza en la lección del cambio. La oruga no se transforma en mariposa empeñándose en serlo; no planea ni conspira ni intriga ni se devana los sesos para conseguir llegar a ser una mariposa con alas ligeras y colores vivos. Si hiciera eso (como, sin duda, lo haría un hombre si estuviera en su lugar), no haría más que echarlo a perder todo y estropear su porvenir. La oruga se hace mariposa siendo una oruga seria, decente, sana y honrada, es decir, siendo plena y sinceramente lo que ahora es, no tratando de ser lo que no es. Cuanto mejor sea la oruga, mejor será la mariposa. Cuanto más sólido sea el presente, más fuerte será el futuro. Para aprender a volar mañana tengo que aprender primero a caminar hoy con los pies en el suelo. Nada se logra con soñar e imaginar y suspirar y llorar. Sólo siendo plenamente lo que hoy soy puedo prepararme para ser lo que he de ser mañana. Vivir a tope la etapa presente de mi vida es la mejor preparación para la próxima. Esa es la sabiduría de la oruga, y por eso camina tan satisfecha por todas partes con su paso tranquilo. Se fía de la naturaleza y hace amistad con el tiempo. Nada gana con atropellarse y ponerse a hacer carreras. Disfruta de la vida entre ramas y hojas, como un día lo hará de flor en flor convertida en perfume alado. Esos son los caminos de la naturaleza.

Y se nos dice que la gracia sigue a la naturaleza. Los caminos de la gracia, en su belleza y misterio, con frecuencia reflejan las obras de la naturaleza, sus estaciones y su florecer bajo la lluvia y el sol. Todo crecimiento es secreto cósmico bajo la bendición de las estrellas en la tierra que Dios creó. Tenemos fe en el universo, porque tenemos fe en el Dios que lo creó y nos fiamos de sus tiempos, sus estaciones y sus mareas. La primavera llegará a nuestras almas si tenemos la paciencia de aguantar el invierno bajo la nieve fría. Un buen invierno es la mejor preparación para una buena primavera, tanto en los campos de la tierra como en los del alma.

Bernstein dijo algo bellamente profundo sobre Beethoven. Dijo primero, en respetuosa crítica, que Beethoven no era un buen melodista (y tarareó alegremente los primeros compases del allegretto de la séptima sinfonía como prueba), tampoco era un buen armonista, ni siquiera un buen instrumentalista, y no consiguió escribir una fuga decente en toda su vida, por más que se lo propuso hasta que admitió la derrota y lo dejó. ¿En qué está, pues, la genialidad de su música? Dice Bernstein: en «la inevitabilidad de la nota siguiente». Cada nota, cada acorde, cada instante en las composiciones musicales de Beethoven es tan perfecto, tan completo, tan exacto que él mismo define la nota o el acorde que ha de seguir, con exigencia perentoria, sin que valga ningún otro. En esa perfección, Beethoven es único. Cada nota es tan precisa y total en su perfección solitaria que sólo puede ser seguida por otra igualmente perfecta que encaje en el momentáneo espacio sonoro con derecho exclusivo. Cada nota reina una instante y nombra a su heredera en sucesión real a la corona musical. Cada nota hace inevitable la siguiente. Bella idea y atractiva imagen de la melodía de la vida bajo la inspiración de la gracia. Vivir cada momento con tal plenitud que el siguiente se hace obvio e inevitable en el flujo artístico de una sinfonía de fe. El cambio a la nota siguiente viene determinado por la perfección de la nota presente. El futuro vuelve a fluir, espontánea y artísticamente, del presente.

La paradoja del cambio es que éste se produce al aceptar y vivir lo que somos, no al tratar de ser lo que no somos. Pleno contacto con nosotros mismos, pleno conocimiento y aceptación de la situación presente, plena fe en la naturaleza y en la gracia, en nosotros mismos y en Dios, plena entrega al momento presente con todo el gozo de la vida y toda la esperanza de los hijos de Dios. Disfrutar el presente es abrir el futuro.

Una nota de humor en este serio tema. El mullah Nasrudín fue invitado a visitar Inglaterra por primera vez en su vida, y decidió prepararse con cuidado para tan importante viaje. Perfeccionó el inglés, aprendió la etiqueta británica, se entrenó a decir «perdón», «lo siento», «gracias, «excúseme» a la menor ocasión, y procuró familiarizarse con los usos y costumbres del Reino Unido. Mientras se estaba preparando de esa manera, sus amigos se enteraron un día de que estaba en el hospital por un accidente de coche. Allí fueron a verlo, y al saberlo fuera de peligro le rogaron les contase su versión del accidente. Nasrudín explicó: «Ya sabéis que tengo que ir a Inglaterra dentro de poco, y eso es precisamente lo que me ha traído al hospital. Yo quería irme adaptando a las costumbres inglesas, y oí que en Inglaterra se conduce por la izquierda, mientras que aquí, en el continente, lo hacemos por la derecha. Decidí prepararme a tiempo para poder conducir enseguida en Londres, y así comencé a ensayarme aquí. Pero, ¡lo que es la gente!: iba yo conduciendo aquí con todo cuidado por la izquierda y me vino un camión de frente, se me echó encima... y aquí estoy».

Eso viene al traer por la fuerza al presente lo que por sí mismo ya vendrá a su tiempo en el futuro. La mejor preparación para conducir por la izquierda en Inglaterra es conducir a la perfección por la derecha en el continente. Una vez en Inglaterra, con un poco de práctica y observación, se efectuará el cambio de la manera más natural. Forzar el cambio antes de tiempo sólo lleva a chocar de frente. Eso explica muchos accidentes en las carreteras de la vida.

III
VIVIR EL PRESENTE

HAZ LO QUE HACES

Preguntado acerca de lo que debían hacer sus monjes para alcanzar la perfección, Buda contestó: «El monje, al andar, se entrega totalmente al andar; al estar de pie, se entrega a estar de pie; al estar sentado, se entrega a estar sentado; y al estar tumbado, se entrega a estar tumbado. Al mirar se dedica a mirar; al extender el brazo, a extender el brazo; al vestirse, a vestirse; y lo mismo al comer, beber, mascar o gustar o cualquier otra acción, se dedica y entrega con perfecta comprensión a lo que hace».

Parece un programa fácil. Come cuando comas y anda cuando andes. ¿No es eso lo que todos hacemos? No del todo. De hecho, no lo hacemos nunca. Lo que hacemos es lo contrario: hablamos mientras comemos, pensamos mientras andamos y volvemos a pensar en otra cosa mientras estábamos pensando en la primera. Somos expertos en mezclarlo todo, interrumpirnos a nosotros mismos y mantener nuestra mente lo más lejos posible de donde están y de lo que hacen nuestras manos y nuestros pies. Apenas estamos donde estamos. Nos especializamos en estar donde no estamos, en hacer con la imaginación algo enteramente distinto de lo que estamos haciendo con las manos. *Age quod agis* era la antigua máxima latina: haz lo que haces. Es decir, haz con toda tu alma, tu cuerpo y todo tu ser aquello que estás haciendo en este momento, sin distraerte y sin ponerte a soñar despierto. Bien sencillo y bien difícil. Sí que entendemos el sentido de la máxima y alabamos su sabiduría; pero se nos hace más agradable el soñar despiertos, y seguimos con nuestros sueños. Todos llevamos una ardilla dentro que anda siempre saltando, bailando, subiendo y bajando como hacen esas ardillas que son dueñas del jardín al pie de mi ventana, se suben a mi alféizar, me mirar con ojos curiosos cuando estoy escribiendo, desaparecen al instante en cuanto hago el menor movimiento, se persiguen unas a otras en carreras interminables y mordisquean mis calcetines por la noche. Nunca se están quietas, nunca aguantan en un sitio, nunca se sientan. A veces pagan cara su inestabilidad. Al final del jardín hay una calle ancha con mucho tráfico, y las ardillas la cruzan a su estilo de siempre, adelante y atrás, saltando y bailando y zigzagueando entre ruedas y motores. Y más de una vez he visto su piel inocente aplastada sin vida contra el asfalto de la calle, rodeada de un cerco de sangre. La pequeña criatura que no quería estarse quieta paga su movilidad con la muerte.

Frente a mí está ahora un hombre que ha venido a charlar conmigo de sus cosas. Está sentado en la silla que le he ofrecido. Mejor dicho, no está sentado, al menos en el sentido pleno y cómodo de la palabra. Está penosamente colgado del borde de la silla, inclinado hacia adelante, a punto de perder el equilibrio, tenso y agitado. Su cuerpo no está del todo en la silla…, como su mente no está del todo en lo que está diciendo. Un contacto deficiente con la silla es efecto y figura del contacto deficiente que tiene con la realidad, con su propia situación, con el momento presente. Está excitado contándome las tribulaciones de su pasado y acobardándose ante las amenazas del futuro. No está aquí. Aunque está en esa silla enfrente de mí, de hecho no está aquí. Si alargo el brazo, puedo tocarlo, pero no puedo tocar su mente, que está a muchos kilómetros de distancia. Le digo que se relaje y se ponga cómodo. Es una silla baja, con el respaldo inclinado hacia atrás para más comodidad. Es interesante que mi invitación a ponerse cómodo se le hace difícil y se siente violento mientras trata de asentarse con una sonrisa forzada. Se sienta un poco más hacia atrás, pero no se apoya en el respaldo, no establece contacto con él. La postura de su cuerpo refleja exactamente la actitud de su alma. La ansiedad de la mente no le permite aflojar músculos y nervios. Y como la influencia es mutua y actúa en ambos sentidos, ahí tenemos ya en las manos un sencillo método inicial para traer la paz al alma. El contacto físico con los muebles puede propiciar el contacto mental con la realidad. Cuando el cuerpo se relaja, la mente también lo hace.

Esto lo he oído sólo como chiste, pero es un buen ejemplo de la misma situación: un hombre toma un taxi, pero se sienta sólo a medias y queda medio levantado, sin apoyar su peso en el asiento, porque cree que así pagará menos. No sabe que el taxímetro marca lo mismo, se siente él como se siente, y que sólo se está mortificando inútilmente. Vale más sentarse a gusto con todo el peso. Cuesta lo mismo.

Otro ejemplo corriente de estar donde no estamos y no estar donde estamos. Voy andando por una calle cuando alguien, de repente, me llama por mi nombre. Miro con sorpresa. ¿De dónde sales? De hecho, él venía hacia mí en dirección contraria, y nos habríamos dado de narices si él no me hubiera parado; yo iba mirando hacia adelante al andar y, sin embargo, no lo había visto hasta que se me echó encima y pronunció mi nombre. Es decir, lo había visto, pero no había caído en la cuenta; su imagen se había formado en mi retina, pero no en mi conciencia actual. Podría haber pasado de largo, podría incluso haberme tocado, y yo no lo habría notado. Estaba totalmente ciego, porque no estaba donde estaba. Tenía prisa por llegar a alguna parte, y mi mente estaba ya en aquel sitio mientras mis pies andaban todavía por la calle. No veía a la gente, por muy cerca que pasara, y no reconocí a mi amigo. Eso nos pasa muchas veces. Hace poco me pasó a mí con una niña pequeña. Ella venía, de la mano de su madre, desde el otro extremo de una calle bastante larga, y yo no la vi hasta que se acercó y la tomé en brazos. Su madre me dijo: «Ella te vio a ti la primera desde lejos, en cuanto volvimos la esquina». La pequeña me había visto a mí mucho antes que yo a ella. La mirada pura de los niños.

Encontré un caso muy instructivo sobre el hacer dos cosas al mismo tiempo (y, por consiguiente, ninguna de las dos bien) en la correspondencia de Mahatma Gandhi. Hará falta un poco de introducción. Gandhi popularizó el uso de la rueca de hilar como símbolo de autosuficiencia e independencia de la India frente a la dominación inglesa, y él mismo hilaba algún rato todos los días y exhortaba a sus seguidores a hacer lo mismo. Su secretario personal durante muchos años fue Mahádev Desai, y a él está dirigida la carta de Gandhi del 13.11.30, que no dejaría de causarle cierta sorpresa. Mahádev estaba en la cárcel, como tantos otros patriotas indios en aquellos días, y desde la cárcel le había escrito a Gandhi para contarle que se pasaba casi todo el día hilando con la rueca y que ahora, además, había encontrado otra ocupación muy útil para llenar las horas de ocio forzoso: otro prisionero político en la misma cárcel era Abba Saheb, que sabía francés, y, como esa lengua había de serle útil al secretario de Gandhi en sus contactos internacionales, Mahádev había empezado a dar clase con Abba Saheb en la cárcel. Para aprovechar mejor el tiempo según el espíritu y la doctrina de Gandhi mismo, Mahádev había juntado las dos cosas, y aprendía francés mientras le daba vueltas a la rueca. Le había explicado todo eso a Gandhi en su carta, confiando que eso le alegraría y le felicitaría por ello. Pero no fue así. Al contrario, su conducta desagradó grandemente a Gandhi, y así se lo comunicó en su respuesta sin dejar lugar a dudas. «Me ha afligido profundamente lo que me dices de ti en tu carta. ¿Cómo has podido tú, que tan cerca estás de mí, entenderme tan mal? ¿Es que no has entendido todavía el mensaje y el sentido de la rueca? Cualquier cosa que hagamos requiere nuestra atención total, y no pienses que porque la rueca sea una ocupación material puede hacerse mecánicamente sin fijarse en ella. Todo lo que hacemos hay que hacerlo bien, con todo el corazón y con toda el alma. Cada cosa a su tiempo, y cada cosa con perfección. Estudia todo el francés que quieras, pero deja la rueca en paz mientras estudias francés. ¿No te acuerdas cómo comentabas conmigo lo que Romain Rolland dice en su biografía de Beethoven sobre la concentración que tenía cuando tocaba el piano? ¿Y es la rueca menos importante que el piano? Me duele pensar que aún no has entendido la santidad de la rueca, el carácter sagrado de todo lo que hacemos».

Los discípulos modernos de Gandhi parecen haber olvidado esa doctrina. Es costumbre, en instituciones que llevan su nombre y siguen sus métodos, hilar con la rueca mientras, por ejemplo, se escucha una conferencia. Eso resulta bastante molesto para el conferenciante, como sé por experiencia. Se me hace violento hablar ante un centenar de personas que siguen sentadas en el suelo, dándole vueltas a la rueca con una mano, tirando del hilo hacia arriba con la otra, retorciendo el huso, sacando la hilaza, concentrados en lo que están haciendo y olvidados de mi presencia. No puedo evitar la impresión de que consideran mi conferencia totalmente inútil y que, para aprovechar el rato, se ponen a fabricar algo con las manos. Tienen pleno derecho, pero entonces, ¿por qué me llamaron para que les diera la conferencia? Lo curioso fue que, poco después de leer la carta de Gandhi, fui yo invitado a una de esas instituciones, cuyo director es precisamente el hijo de Mahádev Desai. Me invitaba él mismo a que diera yo la conferencia inaugural de apertura de curso. Así lo hice, y el hijo del secretario de Gandhi escuchó mi discurso sentado en el suelo a mi lado... y dándole vueltas a la rueca sin parar. No le dije nada sobre la carta de Gandhi a su padre.

AQUÍ Y AHORA

Sé lo que eres. Haz lo que haces. Di lo que dices. El siguiente caso, aunque parezca exagerado, es absolutamente auténtico, y conozco bien al protagonista. Estaba él en un pequeño grupo de terapia en el que los participantes habían sido invitados en aquel momento a que cada uno improvisara diez frases a partir de la expresión «Aquí y ahora, yo...» Este hombre se prestó a ello y, después de dos o tres frases inofensivas, salió con la siguiente joya: «Aquí y ahora, yo... estaba riñendo ayer en casa con mi mujer». Un hombre bien honrado. La riña doméstica de ayer le había afectado tan profundamente que hoy, en el grupo, estaba todavía bajo la influencia de aquella desgraciada experiencia con tal realismo que, para él, hoy era todavía ayer, y el salón su casa. No había clausurado el incidente en su mente, lo seguía viviendo todavía, y así no sabía dónde estaba. Seguía dándole vueltas al episodio de ayer, y ese rebelde recuerdo le impedía andar adelante y entrar en el día de hoy. El capítulo sin acabar, la herida sin cicatrizar, las cuentas sin cerrar. Pocas cosas dificultan más nuestro contacto con la realidad que las situaciones que quedan colgando sin resolverse. En la vida hay que saber cerrar puertas. Mientras no acabemos plenamente un capítulo de nuestra autobiografía privada, no estaremos en condiciones de comenzar el siguiente.

Nuestros pensamientos, bien sea al estudiar, al conversar o al orar, no siguen con facilidad un curso continuo, sino que se van interrumpiendo a sí mismos con ligereza desoladora. El estudiante se queja de que no puede concentrarse en lo que estudia, y el religioso pide consejo para combatir las distracciones que no le dejan rezar. Incluso en una conversación ordinaria nos perdemos muchas veces lo que el otro ha dicho y tenemos que pedirle que nos lo repita, porque estábamos distraídos. La misma palabra «distracción» es angustiosa: dis-tracción quiere decir, literalmente, tirar violentamente en direcciones opuestas, desgarrar, desmembrar. Cuando nos distraemos, nos desgarramos a nosotros mismos, nos hacemos pedazos, dejamos de ser un todo, una unidad; dejamos de ser lo que somos. Distraerse significa dividirse, perder totalidad, perder contacto. Seguimos poniendo en escena las tramas incompletas de ayer. Y proyectando las preocupaciones de mañana en la pantalla de hoy. En cualquier caso, nos dividimos por dentro y nos incapacitamos para vivir la plenitud de la vida en el único momento en que puede vivirse, que es el aquí y ahora.

Los psicólogos definen al neurótico como «persona que se interrumpe a sí misma», y me temo que la mayor parte de nosotros nos ganamos el título sin dificultad, si esa es la definición. Una vez que admitimos eso, podemos usar esas mismas interrupciones para conocernos mejor a nosotros mismos. Cada distracción, sea en conversación o en oración, es el hilo suelto que ha quedado colgando de una situación sin acabar que está clamando que la acabemos para permitirnos pasar a disfrutar de la siguiente. Una vez tuve experiencia en mi propia carne del daño que los hilos sueltos pueden causar. Me habían operado, y la herida no cicatrizaba en el tiempo esperado. El cirujano ensayó remedios y medicamentos sin resultado. La herida seguía sin cicatrizar. Por fin, tuvo que volver a abrirla del todo y se encontró con que los puntos de la herida interna no habían sido bien cortados y los hilos sueltos no dejaban cerrarse a la herida. Los cortó entonces, y la herida cicatrizó. Llevamos muchas heridas abiertas en el alma, porque no hemos dado bien los puntos.

«Heridas abiertas» quieren decir: sufrimiento y peligro de infección. Y todo ello sin necesidad. Un buen cirujano no se deja hilos colgando.

Un escritor muy reflexivo decía de sí mismo: «A mí las cosas se me ocurren al bajar las escaleras». Es una experiencia bastante común. Hemos tenido una discusión, un diálogo, una conversación con intercambio de ideas y expresión libre de opiniones, y sí que llegamos a formular nuestra propia opinión y la frase exacta, pero sólo cuando se ha acabado la reunión, nos hemos despedido y estamos bajando las escaleras de la casa donde nos hemos reunido. Entonces se nos ocurre la respuesta perfecta, la réplica cortante, la cita oportuna que le habría hecho callar al otro y nos habría proclamado campeones en dialéctica y triunfadores de la reunión. Pero llega demasiado tarde. Ya sólo podemos repetírnosla a nosotros mismos con un deje de rabia y frustración y autocondenación por no habérsenos ocurrido en el momento preciso. Espoleta de retardo. ¡Eso es lo que debería haberle dicho! O, al contrario, ¡no debería habérseme escapado aquello! Una palabra dicha o por decir me tortura ahora, porque no la dije cuando debía, o la dije cuando no debía. Penas y lamentos cuando ya no valen para nada. Y la pequeña herida sigue molestándome todo el día. Como no viví el presente de lleno en aquel momento, no puedo vivirlo en el resto del día. La falta de contacto en una ocasión no hace más que aumentar la falta de contacto en la siguiente. Haremos bien en detener la reacción en cadena lo antes posible.

Una vez me ocurrió eso precisamente en unas escaleras. Una alumna de mi clase de matemáticas en la universidad había ganado el primer premio en un concurso de oradores juveniles, yo la vi bajar por las escaleras mientras ella subía y, al cruzarnos a mitad de camino, me volví hacia ella y le dije: «¡Enhorabuena por el premio!» Ella no mostró reacción alguna y siguió bajando las escaleras mientras yo las subía. Cuando llegué arriba del todo, ella, que había llegado abajo, se volvió de repente hacia mí y me gritó: «¡Gracias! ¡Y perdone que no haya caído en la cuenta antes!» Le sonreí, y cada uno siguió su camino. Afortunadamente, las escaleras habían sido lo bastante largas como para dar lugar a que transcurriera su tiempo de reacción, y los dos disfrutamos el momento violento y divertido de la respuesta retrasada. Ella iba pensando en cualquier otra cosa, no esperaba que yo le felicitase por su premio en mitad de la escalera, y así, aunque mis palabras llegaron claramente hasta sus oídos, tardaron algo más en llegar a su cerebro y provocar la respuesta. Todos oímos, vemos, entendemos y sabemos qué hay que contestar y cómo hay que reaccionar; pero hay barreras en el camino, con lo que el mensaje tarda en llegar al cerebro y, con frecuencia, llega demasiado tarde. La otra persona ha desaparecido, se han acabado las escaleras, la ocasión ha pasado. Y una reacción tardía pierde su frescura y su valor. Si aquella chica me hubiera dado las gracias el día siguiente, habría sido un poco violento. Un «gracias» con veinticuatro horas de retraso ha perdido su gracia.

Y, sin embargo, eso es lo que nuestras reacciones son con harta frecuencia: lentas y a toro pasado. Esas barreras que llevamos dentro no nos dejan ser nosotros mismos, no nos dejan entregarnos de veras a lo que hacemos y responder con toda la agudeza del entendimiento y el calor de los sentimientos. Se nos escapa el arte tan sencillo de cerrar puertas y dejamos a nuestro paso una estela de puertas abiertas que siguen dando portazos con el viento y distrayéndonos en nuestro andar. Si ha sido una experiencia desagradable, deja tras de sí un rastro de malestar contra uno mismo y contra todos los que han intervenido en ella; y, si ha sido una experiencia agradable, deja el deseo de prolongarla, de repetirla, de recordarla una y otra vez, de manera que ya no nos da placer, porque ha pasado, y no nos deja disfrutar de otros placeres, porque el recuerdo del pasado ensombrece la realidad del presente. Estas barreras reducen nuestra vitalidad y destruyen toda espontaneidad.

Una manera de dejar al descubierto estas barreras es, como ya he mencionado, seguir el curso de las distracciones que tenemos. Ellas nos llevan a las ansiedades y frustraciones ocultas que son las responsables de esas barreras; y, al descubrir la causa, nos invitan a poner el remedio. Me observo con atención mientras estoy ocupado en algo que requiere concentración. Estoy leyendo un libro, escribiendo una carta, escuchando una charla, tomando parte en una conversación, rezando. No pasa mucho rato antes de que mi mente comience a ir por otros derroteros. ¿Cuáles? Los sigo, es decir, dejo que la distracción siga su curso, y pronto noto, no sin una sonrisa, que dentro de esa primera distracción ha surgido otra, es decir, una distracción de la distracción, que arrastra mis pensamientos en otra dirección. La sigo. Y otra. Puede hasta resultar divertido. Algo así como la libre asociación de ideas en psicoanálisis. Si la mente saca alguna cosa, por algo será. Enfréntate a ella. Puede ser un episodio pasado por asimilar, una tarea temida, un recuerdo pegajoso. Ahí ha quedado un residuo en la mente que no ha sido eliminado y ahora obstruye el flujo del pensamiento o lo desvía. Descubrir el obstáculo es el primer paso para quitarlo. Tarea constante.

Un joven ha venido a verme y a contarme cosas de su vida. Al cabo de un rato, noto que estoy distraído. No le estoy escuchando. He perdido el hilo de lo que va diciendo. Me examino calladamente a mí mismo. No es que tenga prisa. Le he citado, le he dado hora y tiene perfecto derecho a ocuparme este rato. Se lo he reservado, y me he mostrado dispuesto a hablar con él. Me las doy de ser un buen oyente, de escuchar con interés e inspirar confianza. Y, sin embargo, hoy veo que ocurre todo lo contrario. Estoy distraído sin remedio y deseando que esto se acabe. ¿Por qué? Ya lo sé. He caído en la cuenta, por lo que él ha dicho hasta ahora, de que no tengo solución alguna que ofrecerle para su problema. Cuando él acabe de hablar, tendré que decirle un par de generalidades, tratar de consolarlo de alguna manera y dejarle marchar sin satisfacción alguna ni por parte mía ni suya. Por eso es por lo que se me hace difícil escucharlo. No es que lo que él dice no tenga interés, sino que yo no tengo solución. Mi habilidad no llega a tanto. Me encuentro a disgusto, y por eso mi mente busca refugio en la distracción. Lo veo con toda claridad mientras el joven aún sigue hablando. Y entonces sucede algo muy interesante. Yo todavía no he hablado, no he bostezado ni he mirado al reloj ni he dado señal alguna externa de estar distraído. Sin embargo, el joven se interrumpe, me mira y dice con mirada certera: «Le estoy aburriendo, ¿no es así?» Ha caído en la cuenta. De alguna manera, le ha llegado el mensaje que yo creía oculto en mi mente. Ha notado que yo no tenía interés, aunque no sabe por qué. Mi distracción me ha delatado. Sólo me queda reconocerlo y explicar la razón. Lo hago. El me entiende. Quizá el reconocer mi propia limitación le ayude a él a reconocer las suyas y aliviar su problema. Más no puedo hacer.

¿PUEDO GRABAR SU CHARLA?

Cuando estoy a punto de empezar una charla en público, o un diálogo más o menos serio con un grupo de gente interesada, siempre hay alguien que tiene la delicadeza suficiente de preguntar: «¿Le importa si grabo la sesión?» De hecho, hay ya varios aparatitos sobre la mesa o por el suelo, aunque no todos sus dueños han pensado en pedir permiso, unos porque lo dan por supuesto, y otros porque tienen miedo de que se lo nieguen. Por eso, cuando alguien hace la pregunta explícita, todos toman los aparatos en la mano, dispuestos a retirarlos si yo no doy mi beneplácito. El hecho es que no me importa lo más mínimo, y así se lo hago saber al público para tranquilidad de todos. Algunos incluso se toman la molestia de mencionar (¿por qué tendrán que justificarse?) que no graban la sesión para ellos, sino para un amigo que quería venir y no ha podido y les ha hecho prometer que le llevarán las valiosas palabras grabadas en cinta para su provecho espiritual. Otros dicen que no se fían de su propia memoria, que quieren acordarse de todo y tienen miedo a perder algún dicho importante, y por eso se aseguran con la garantía segura de la cinta fiel. Sea como sea, se enchufan las máquinas, cuyos ojos rojos, testigos de la grabación automática, siguen pestañeando al unísono con el volumen de mi voz y recordándome que estoy hablando.

Continúo hablando y, cuando la charla va ya bien avanzada, me tomo una pequeña venganza de las máquinas y de sus dueños. Primero lo digo tan suavemente que casi nadie cae en la cuenta de lo que he dicho, y menos que nadie los que están grabando la charla. Luego lo digo clara y descaradamente, y ya a nadie se le puede escapar lo que digo, pero para entonces los aparatitos llevan ya un buen rato funcionando, y resultaría violento pararlos a mitad de camino, con lo cual sus dueños no saben a dónde mirar, se sonríen y alguno se sonroja, y la charla continúa y las grabadoras siguen guiñando sus ojos rojos. Lo que digo es que, al asegurarse de que la charla queda grabada en la cinta, pueden olvidarse de grabarla en el cerebro. Como va a quedar fielmente conservada en forma de cassette, puedo permitirme el lujo de distraerme al oírla en vivo, perder detalles o perderme la charla entera, ya que podré volver a oírla siempre que quiera en la tranquilidad de mi aparato. Si no fuera a grabarse y me interesara la materia, me pondría de puntillas, afinaría el oído, prestaría una atención total para que no se me escapase ninguna idea ni ningún detalle. Sería la única oportunidad, y yo haría lo posible por aprovecharla del todo. Entonces sí que sería una experiencia personal, una actividad íntima, una verdadera lección. Pero ahora sé que la grabadora está trabajando. Sigue dando vueltas. Sigue parpadeando. No se le escapa ni una palabra. Por eso yo me relajo, me distraigo, me adormezco, y la máquina es tan amable que, cuando se acaba un lado de la cinta, hace el ruidito del paro automático, con lo cual me despierto, doy vuelta a la cinta y vuelvo a descansar. Todo queda grabado. No tengo por qué preocuparme. La cinta es nueva y está garantizada. Que siga la charla.

Sí, todo queda grabado. Pero ¿dónde? En la máquina, no en la cabeza. Como la máquina oye por mí, yo puedo dejar de oir. Y luego, para colmo, una vez que la charla está grabada, como sé que puedo escucharla a cualquier hora, no la escucharé nunca. ¿Por qué andar con prisas? La tengo a mano, y puede esperar todo lo que haga falta. Así lo hace. Espera. La cinta reposa en calma en el fondo del cajón, y la charla queda sin ser escuchada. No se escuchó al darse en vivo, porque se iba a escuchar después con tranquilidad en la cinta, y no se escucha ahora en la cinta, porque ha perdido su frescura. Eso sucede, y entonces la grabadora, paradójicamente, se convierte no en instrumento, sino en obstáculo para la escucha.

Lo sé muy bien, porque eso me sucede a mí. Con frecuencia tengo la radio puesta en algún programa de música clásica mientras trabajo. Escucho con mayor o menor atención las piezas conocidas, y de vez en cuando me fijo cuando se anuncia alguna composición que me interesa especialmente. Entonces introduzco enseguida una cinta en el radiocassette y grabo la pieza. Y luego pasa algo muy divertido. Mientras la pieza se está tocando y grabando, no me fijo en ella, ya que sé que la voy a tener permanentemente y podré escucharla siempre que quiera. Por eso me distraigo y no presto atención. Así resulta la paradoja de que escucho con mayor atención las piezas que menos me interesan, porque no las grabo, y en consecuencia mis oídos se aprovechan instintivamente de la única ocasión que tienen y escuchan con atención; mientras que no se preocupan tanto por fijarse en la música que se está grabando y que siempre podrá volverse a tocar. Una vez grabada la pieza, también me pasa que se queda olvidada entre mis cassettes y pasa mucho tiempo sin que la toque. Como siempre está a mano, nunca se pone. El valor, la urgencia, el interés de la escucha directa y única pueden perderse en la engañosa facilidad de la grabación instantánea.

Una vez, la psicóloga americana Barry Stevens asistió a una conferencia de Fritz Perls, su amigo y fundador de la teoría Gestalt, y reflexionó después: «Acabo de oir una charla de Fritz. No recuerdo una sola cosa de todo lo que ha dicho; si me preguntas qué puntos de vista ha defendido o qué argumentos ha dado, no puedo decirlo; y si tuviera que dar un examen sobre ello, sacaría un cero. Pero sí sé que la charla me ha tocado de cerca, me ha dado de lleno, que la llevo dentro de mí tal cual es y que, en el momento en que la necesite, saldrá y podré utilizarla todo lo que me haga falta». ¡Qué experiencia más bella! Ha escuchado la charla con todo su organismo, cuerpo y alma y oídos y cerebro, ha escuchado con la piel y los huesos, se ha abierto del todo al impacto vivo de la comunicación directa, ha recibido en persona todo lo que se decía sin distracción alguna de tomar notas o grabar cintas, se fía de su propia naturaleza, y sabe que el dossier secreto estará listo en el momento en que haga falta. Se acordará con facilidad, porque ha escuchado con libertad. Por el contrario, quien va a clase para pasar un examen, pasará el examen si se lo propone, pero no le quedará en el alma el vivo saber de la experiencia personal. Títulos universitarios no enseñan a vivir.

Tomar notas durante una charla es, en algún sentido, mejor que grabarla en cinta, porque conlleva cierta actividad personal, cierto entender, resumir, anotar; pero, esencialmente, es también una distracción que estira el presente hacia el futuro, en la que la mano escribe una idea mientras los oídos están escuchando la siguiente, y la mente queda suspendida entre la mano y el oído, echando con ello a perder toda posibilidad de asimilar pacíficamente la nueva doctrina. Las charlas son para escucharlas, como los libros son para leerlos. El anhelo de preservar el mensaje hablado y perpetuarlo en papel y cinta le quita su frescura, su vitalidad, su impacto. Todo aquello que debilita el presente debilita la vida.

Aprendí esa lección a costa mía en mis días de estudiante. La moda entre fervientes estudiantes para el sacerdocio en aquellos días era hacerse un fichero personal con toda clase de cintas, sinopsis, historias y ejemplos para usarlos el día de mañana en la predicación y en la enseñanza, preparándonos así, ya desde el principio, para el ministerio pastoral. No podíamos tener una intención más pura en nuestro trabajo, y a él dedicábamos generosamente tiempo y esfuerzo. Pronto, sin embargo, la tendencia innata de proveer para el futuro se disparó de tal manera que el fichero se convirtió en nuestra principal actividad. Nuestro director de estudios notó el exceso y decidió cortarlo de raíz. Nos mandó un día que trajéramos todos nuestros ficheros, hiciéramos una pila con ellos en el jardín y le prendiéramos fuego. Allí ardieron nuestros esfuerzos de meses. Aceptamos la prueba en humilde obediencia, como si fuera un auto de fe. De hecho, no era más que sentido común. Nos estábamos matando por acumular material que no nos había de servir para nada pocos años después, dada la rapidez con que gustos y enfoques cambian y la distancia entre nuestras fantasías de jóvenes y la realidad que habíamos de encontrar de mayores. Y esa locura por asegurar el futuro nos estaba estropeando el presente, no nos dejaba gustar, digerir, disfrutar lo que entonces estábamos haciendo, y ponía en peligro toda nuestra formación. La mejor preparación para el futuro es disfrutar plenamente el presente. Esa fue la oportuna lección de la hoguera en medio del jardín.

LA DULCE BAYA

Vivir el presente no excluye prever el futuro. Cuando hablo sobre este tema —que es con frecuencia, ya que es mi favorito—, siempre hay alguien que se levanta para objetar (con cierto tono despectivo, de ordinario) que está muy bien todo eso de hablar del presente, pero que en la vida práctica no resulta; que, si quiero viajar mañana, tengo que hacer la reserva hoy; si he de dar una clase, tengo que prepararla de antemano; y si quiero tener una vejez tranquila y asegurada, tengo que ahorrar desde ahora. Para viajar por avión no basta con ir al aeropuerto, preguntar al primer piloto que me encuentre si por casualidad vuela adonde yo quiero ir y proponerle hacerle compañía, si es que va. No es así como funcionan las cosas, recalca el objetor, y por eso todas estas vaguedades sobre el presente pueden ser muy poéticas, pero no valen para nada. Así como no podemos olvidar el pasado, así tampoco podemos descartar el futuro, si es que hemos de vivir razonablemente. La gente seria se preocupa por el futuro, y por eso hacen negocio las compañías de seguros. Con filosofías vacías no se va a ninguna parte.

He observado que quien así objeta lo hace, de ordinario, con un cierto tono de suficiencia e incluso con cierta agresividad latente. Esa agresividad la interpreto yo como expresión de la resistencia y dificultad que experimentamos cuando de veras queremos vivir en el presente. La mente se resiste, y esa resistencia se traduce en oposición violenta. Es un sentimiento irracional, tozudo, absurdo y, sin embargo, universal. En cuanto tratamos de sujetar la mente al momento presente, salta y se encabrita, y justifica su escapada con mil razones. Resistimos enérgicamente todo intento de ponernos frente a frente con el presente, que es de hecho ponernos frente a frente con nosotros mismos, ya que el presente es la única situación en la que somos tal y como somos, no como éramos antes o pretendemos ser después. No nos gusta mirarnos en el espejo que vaya a reflejar nuestro interior, y por eso la mente se resiste a mirar el presente. Un anciano rey de una leyenda india ordenó que se rompieran todos los espejos de palacio. Del mismo modo, nosotros evitamos enfrentarnos al presente para no vernos la cara.

Todo lo que hay que hacer en el presente para preparar razonablemente el futuro es parte del presente, y así no es excepción ni distracción. Desde luego que tenemos que hacer planes y reservar billetes y comprar un seguro si hace falta. No hay quien objete a eso. El peligro viene cuando sobrecargamos el presente con las preocupaciones del futuro. Y el mayor abuso es cuando a eso lo llamamos prudencia, y ponemos como modelos a los que se portan así. Esa es la manera como nos han educado, y por eso nos resulta difícil recobrar el sentido del presente y darle el valor que tiene. En una sociedad que insiste en asegurar el futuro no es fácil vivir abiertamente el presente.

De pequeño tuve que aprender de memoria algunas fábulas de La Fontaine en clase de francés. Todavía puedo recitar las estrofas de la cigarra y la hormiga, con las alabanzas por la aplicación de la hormiga que trabaja todo el verano para asegurarse de tener comida en el invierno, y la despiadada condenación de la cigarra por su despreocupado e irresponsable cantar durante todo el verano para morirse de hambre y frío en el invierno. Todavía me acuerdo de los versos, pero veo las cosas de otra manera. Para empezar, la fábula no es verdad. Las cigarras no se mueren de hambre en el invierno, y la naturaleza sabe cómo cuidar de cada especie a su tiempo y a su manera. Además, la hormiga no parece ser un insecto feliz, y su vida de trabajos forzados no es modelo muy adecuado para la vida humana. Y, sobre todo, si a la cigarra le da por cantar y sabe hacerlo, que lo haga, por amor de Dios, siempre que quiera, y los campos y las flores se lo agradecerán bajo el sol del verano. La cigarra es todo presente y nos invita a nosotros a serlo, mientras que la hormiga es sólo futuro y no piensa más que en cómo sobrevivir bajo tierra cuando las cosas se ponen difíciles allá arriba. Y la fábula condena a la cigarra y alaba a la hormiga, es decir, condena las alegrías presentes y recomienda las cautelas futuras. Esa es la lección que nos inculcan desde pequeños, y nunca nos libramos del todo de su influencia. Nos sentimos culpables al cantar en verano. (Hemingway ya criticó por esto mismo a La Fontaine).

Existe una antigua alegoría que se ha conservado tanto en las escrituras hindúes como en las chinas. Es la siguiente: un caminante va por un desfiladero peligroso y, de pronto, resbala; va a caer al abismo, pero consigue agarrarse a la rama de un arbusto al borde del precipicio, quedando colgado entre el cielo y la tierra. En esa incómoda postura, mira hacia arriba y ve a un león y a un tigre dispuestos a devorarle si se atreve a trepar al camino; lo que es peor, dos ratones, uno blanco y otro negro, están royendo la raíz del arbusto con una profesionalidad inquietante. Mira hacia abajo y ve la caída vertical, un río infestado de cocodrilos, con rápidos vertiginosos y una catarata sin fondo. Para completar la escena, los buitres se ciernen sobre su cabeza, dispuestos a acabar con lo que de él dejen los demás personajes. Una situación bastante calamitosa para un honrado caminante. En ese momento ve que hay una baya en el arbusto, la toma se la pone en la boca y... ¡le sabe tan dulce!

Una vez vi una reproducción, a tamaño natural, de esta escena en una gran feria religiosa organizada por una ferviente secta hindú. El impresionante episodio, elaborado en cartón piedra con colores llamativos y gestos exagerados, era el centro de la exposición al aire libre, y la lección que de él había que sacar estaba impresa en grandes letras en el fondo: ¡Hombre insensato! Su vida no es más que un instante pasajero entre peligros de muerte; puede morir en cualquier momento y ser arrojado al abismo sin fondo del castigo eterno; debería pensar en su situación y entregarse a la oración y a la práctica de la virtud por ver de lograr redimir la culpa de su existencia, mientras que todo lo que se le ocurre en su necedad es … ¡ponerse a gustar la dulzura engañosa de un placer fugaz! Todos los placeres del mundo juntos no son más que esa baya insignificante en el arbusto traidor. ¡Abandona los placeres, medita en la fragilidad de la vida, haz penitencia y vuélvete a Dios! La locura del hombre al entregarse a los placeres terrenos queda representada en la conducta insensata del viajero irresponsable ante la misma muerte. ¡Una miserable baya basta para seducirlo! ¿Puede haber mayor locura en el mundo?

Los visitantes de la feria se sobrecogían ante el sermón visible, y salían en profundo silencio. Yo también salí pensativo, pero por otra razón. Yo me había puesto de parte de la pobre víctima. Opino que, al tomar la baya y comérsela, el viajero hizo lo único razonable que podía hacer. Ya que no puedo salir de este lío, dejadme al menos disfrutar de lo único que tengo a mano, y ya veremos luego qué rumbo toman las cosas. No podía meterse el buen hombre con el tigre y el león, los cocodrilos y los buitres, ni siquiera con los dos ratones entrometidos que seguían perseverantemente con su poco amable trabajo. Lo único que podía hacer era comerse el fruto, y eso es lo que hace con valor y sencillez, y aun con la humilde resignación de un sano realismo. ¡Me descubro ante su sangre fría! Y lo curioso es que la moraleja de la historia original es precisamente ésta que apunto aquí. La alegoría, en su redacción original, se enfocaba a resaltar la importancia del momento presente, a enseñar la lección primera y esencial de vivir el presente sin miedos ni distracciones de pasado o de futuro. Haz lo único que puedas hacer, disfruta de la baya, símbolo e imagen del momento presente, y confía en que, si con tranquilidad le sacas todo el partido que puedes a este momento, el próximo también traerá su fruto, y podrás ir viviendo la vida momento a momento, con su perpetua novedad y su constante aventura. Así es, de hecho, como continúa la historia. Mientras el hombre saborea el fruto, el león mata al tigre, y éste al león; al luchar sacuden el arbusto, y los dos ratones caen al abismo, donde los devoran los cocodrilos; los buitres rescatan al caminante, quien sigue alegremente su camino admirando desde arriba la vista de los rápidos y la catarata. Habría sido una pena que se hubiera perdido la dulce baya.

SIN DEJAR HUELLA

La mitología hindú explica que hay tres maneras de distinguir a un dios de un mortal ordinario cuando a los dioses les da por bajar a la tierra y pasearse por ella con aspecto humano. Por fuera tienen el aspecto de hombres y mujeres corrientes, y no hay nada en su modo de andar, hablar o comportarse que los delate como visitantes de otro mundo. Pero hay tres señales que pueden observarse si uno se fija, y basta cualquiera de ellas para detectar el carácter divino de la persona que la ostenta. Los dioses y diosas que andan por la tierra no parpadean, no hacen sombra y no dejan huellas. Esos rasgos los identifican sin falta.

Los rasgos son auténticamente divinos. No dejar huellas. Pasar ligeramente por la vida. No hacer sombra. No proyectar o prolongar el necesario contacto con la tierra en manera o dirección alguna, por delante o por detrás, en la oscuridad arrastrada de un fantasma grotesco. Y no parpadear, no perder nunca, ni siquiera por el instante pasajero de un parpadeo mínimo, el contacto visual y existencial con el mundo que nos rodea. El signo de la sabiduría. Los «ojos de lechuza» de la tradición griega siempre abiertos, los «ojos de pez» de la tradición india que nunca se cierran. Signos a un tiempo de presencia total y transitoria. Estar del todo en la tierra, en lo que a la vida práctica concierne, pero estar al mismo tiempo desprendido, desatado, despegado. No dejar huella del paso por la tierra, ni recuerdos ni ataduras. Nada que pueda anclar el pasado o condicionar el futuro. Pasaje libre, como el viento por las copas de los árboles en las horas tempranas de un día de primavera.

No dejar huellas. Hasta la Biblia le atribuye esa virtud etérea a Dios en testimonio atónito: «¡No aparecieron sus huellas!» (Sal 76, 20) Dios obra maravillas sin dejar rastro. Aun las mayores hazañas de su diestra las lleva a cabo con tal naturalidad que no dejan huella. Y los hombres se admiran de las obras de Dios.

Lo malo del dejar huellas en la arena no es sólo que la arena queda marcada por el pie, sino el pie por la arena. Granos de las arenas del tiempo se pegan a las plantas del pie, se meten entre sus dedos; es decir, que arrastramos el pasado con nosotros, y al cabo de un rato irrita y escuece y frena nuestro avance. Andar por la vida sin dejar huellas es arte divino que trae paz y alegría a los pies que así andan. Llegar a todas partes y no atascarse en ninguna, ir y venir, entrar con suavidad y despedirse con alegría. No cargar a la mente con el equipaje de recuerdos, apegos, resentimientos o lamentos, sino tenerla siempre limpia y libre para moverse con facilidad por las rutas de la vida. La alegría de la mente viajera.

No es fácil salir de cada situación en la vida sin quedar marcado por ella, sin que algo de ella se nos pegue y nos estorbe en nuestras etapas futuras. No atravesamos con claridad desprendida los encuentros, sucesos, pruebas o placeres de esta complicada vida, y siempre se nos queda pegado algún resto que empaña la limpieza de nuestro ser. Todo suceso deja rastro en nosotros, y las capas del pasado pronto ocultan la nitidez del presente. Si consiguiésemos aprender a pasar sin contaminarnos por cada ocasión de la vida, andaríamos con mucha más gracia y alegría por sus caminos.

¿Cómo, pues, salir limpios de cada incidente? La respuesta es sencilla, casi tautológica, y nos introduce en un molesto círculo vicioso. Por eso la respuesta no es respuesta, y así es como ha de ser, ya que no hay soluciones finales ni recetas mágicas para los problemas de la mente. Es tan sólo una manera de ir diciendo lo mismo una y otra vez con ligeras variaciones, con la esperanza de que eso vaya creando una nueva atmósfera a nuestro alrededor y, al respirar aires nuevos, la mente despierte algún día también con renovada vitalidad. Ésta es, pues, la respuesta que no es respuesta, la respuesta que es sólo eco de la pregunta, explicación provisional de la queja permanente: ¿Por qué no llegamos a salir del todo de los sucesos de nuestra vida? No llegamos a salir del todo, porque tampoco llegamos a entrar del todo. Eventos grandes y pequeños, asuntos diarios o aventuras importantes, todo lo hacemos a medias, sin entregarnos del todo al principio y, por consiguiente, sin poder salir del todo al final. No hay contacto completo al comenzar, y por eso tampoco lo hay al acabar. Entramos a medias y salimos a medias. Y ya, para completar el evidente círculo vicioso, ¿por qué no entramos del todo en cada suceso? Porque no hemos salido del todo del anterior. Sólo queda ya por elegir en qué punto queremos romper el círculo.

No me entrego del todo a la vida en sus múltiples manifestaciones de cada día, porque empiezo por no poseerme del todo a mí mismo. Si no soy del todo dueño de mí mismo, ¿cómo voy a comprometerme del todo con cualquier cosa? No me conozco a mí mismo, no me fío de mí mismo, no me domino a mí mismo. Tengo miedo al sufrimiento y tengo miedo al placer, pues aún no he aprendido a disfrutar de las cosas con buena conciencia. No estoy satisfecho conmigo mismo, me encuentro impaciente, ansioso, nervioso. ¿Cómo puedo meterme en nada con toda el alma cuando tengo el alma dividida, cada parte por su lado? Y en medio de todo eso descubro en mí mismo una tendencia que desbarata todos mis intentos de recobrar la totalidad en mi ser y hacerla funcionar. Esa tendencia es pura pereza, una cierta tacañería mental, una resistencia interior a entregarme de lleno al trabajo, aun sabiendo que iba a ser para bien mío. Llevo dentro un avaro escondido que no me deja emplearme a fondo aunque quisiera, que lleva las cuentas y quiere ahorrar energías para posibles emergencias futuras, sin caer en la cuenta de que la mejor manera de reforzar las energías del alma es usarlas de lleno en cada momento. Todo en la vida importa. No hay evento pequeño, no hay ocasión despreciable, no hay oportunidad desdeñable. Todo cuanto me sucede exige de mí todo cuanto yo pueda dar; y, si me reservo y entro en la refriega sólo a medias, no hago más que hacerme daño a mí mismo e impedir mi propio crecimiento espiritual. Mi falta de generosidad para con la vida es la razón diaria y permanente de que yo no me desarrolle como sé que podría hacerlo.

Mañana tengo que presidir la Eucaristía ante un grupo importante, y pienso prepararla con todo cuidado, estudiar el evangelio del día, elaborar la homilía, pensar de antemano en las oraciones, introducciones, invitaciones para los momentos clave en la ceremonia, y asegurarme así de que va a ser una liturgia memorable para todos los que tomen parte en ella. Son gente escogida, y podrán apreciar de lleno mi actuación eucarística. Todo bien pensado. Pero luego, antes de ponerme a hacer toda esa preparación, me informan que ha habido un cambio de plan, que la solemne Eucaristía se suprime, y sólo habrá unas pocas personas para la Misa diaria. Mi primera reacción, al enterarme del cambio, es dejar a un lado toda la preparación, y ya improvisaré cuatro palabras según se presente la situación sobre la marcha. ¿Para qué hacer una preparación especial cuando sólo van a venir unos pocos? Una pérdida de tiempo y de energía. Más vale guardarme mis recursos para otra ocasión más importante. Se acabó la preparación especial para mañana.

Pero luego vuelvo a pensar: ¿Por qué rebajar la ocasión de mañana? ¿Sólo porque va a venir menos gente? Entonces mi trabajo depende sólo de la gente que venga, ¿no es eso? Depende del número. Y mi trabajo es mi vida, mi dignidad, mi persona. Mi trabajo soy yo mismo. ¿Y voy a rebajarme sólo porque vienen pocos? No. Si me pongo a hacer algo, he de hacerlo con todo el corazón y con toda el alma, con todo interés y con pleno esfuerzo. Sean una docena o un centenar los que vengan, yo soy el mismo y la Eucaristía es

la misma. Voy a tomarme interés y a reflexionar y a prepararme, y me presentaré a ese pequeño grupo con luz en
los ojos y calor en el corazón, y haré que la liturgia de mañana
sea memorable para ellos, porque sólo entonces lo será también para mí como entrega total, como compromiso vivo,
como tarea digna a la que me entrego de lleno, sin medias
tintas ni tacañería ni pequeñeces. Allá voy de cuerpo entero.
Como le oí decir a un gran profesional: «Yo toreo lo mismo
en todas las plazas». Desde luego que hay que guardar cierta
proporción entre el trabajo y la preparación y, en general,
dar más tiempo al trabajo más importante; pero la actitud, el
interés y la entrega han de ser las mismas, porque, sea cual
sea el trabajo, el que lo hace soy yo, y yo no me divido en
trozos ni me vendo en porciones. Todo mi ser en todo lo que
hago. Eso engendra una gran satisfacción interior y facilita
el pasar a la escena siguiente con el escenario limpio.

Ése es el fluir de la vida, el «continuo de contacto», el
toque exacto. La habilidd de «clausurar» experiencias, de
acabar, de completar todo lo que hacemos en cualquier momento y ocasión. Ése es el ritmo de «entrar y salir» que
marca la vida del sabio sobre la tierra.

«Anduvo por la selva, y ni una hoja se movió; entró en
las aguas, y no se hicieron ondas» (Bankei).

«Pasos que no dejan huellas al pasar;
Ojos que adivinan en la oscuridad» (Rudyard Kipling).

Vivir sin huellas, sin sombras, sin pestañear.

«Cuerpos que en la selva saben avanzar;
Que no alargan sombras, la vida al cruzar»

(El libro de las tierras vírgenes).

Desde hoy me voy a fijar con todo cuidado en toda la
gente que vea, y trataré de detectar la presencia en alguien
de las tres señales milagrosas, a ver si algún día tengo la
suerte de encontrarme con un dios... o una diosa.

DOS TAZAS DE TÉ

Aquel día aprendí una lección importante. Aprendí que dos tazas de té nunca son lo mismo. Vi una vez un libro con el título *«Doscientas maneras de hacer té»*. Buen regalo para quienes creen que el té es una bebida monótona. (Yo apenas soporto la tal infusión, pero me he rendido ante la costumbre india y la tomo dócilmente, sin pestañear, cada vez que las rúbricas de la hospitalidad lo requieren, que es una media docena de veces al día). Pero la lección de aquel día fue mucho más lejos que la distintas maneras de hervir las hojas y el agua, y me enseñó algo mucho más importante sobre mí mismo y sobre la manera como, sin caer en la cuenta, rebajamos nosotros mismos nuestra capacidad de disfrutar de la vida. Esta fue la lección.

Estaba pasando yo unos días en casa de un amigo en la ciudad india en que resido. El primer día por la mañana, después de mi primera noche en su casa, él observó delicadamente mis movimientos, y cuando yo, temprano, me puse a trabajar sentado en el suelo sobre la alfombra al estilo indio, con las piernas cruzadas, papeles y pluma en mano, él apareció silencioso en la puerta con una bandeja en la mano derecha y dos tazas de té sobre la bandeja. En la India el día comienza con té, y él había tenido la atenta cortesía de traerme en persona la bebida de los dioses y acompañarme en el rito. Me alargó una taza, tomó él la otra y se sentó también sobre la alfombra, con las piernas cruzadas, frente a mí, sin decir una palabra. Yo dejé a un lado el papel y la pluma, tomé la taza que me ofrecía y permanecí en comunión silenciosa con él. Poco a poco, sin prisas, casi litúrgicamente, comenzamos a probar el té, dejando que su caricia caliente en los labios anunciase a cada célula del cuerpo que el sabor había llegado. El té de la mañana es el comienzo oficial del día. La ceremonia de la mente y el cuerpo.

Al poco rato, él comenzó a hablar suavemente, y pronto la serenidad de la mañana, la intimidad del silencio, el lazo de amistad y el vínculo sacramental del té en compañía lo llevaron a terrenos íntimos de revelación personal, a la confidencia y al sentimiento, y yo respondí entregándome, en oir y sentir, al afecto mutuo que nos penetraba al unísono hasta el fondo del alma. Momentos de bendita sorpresa, de unidad paralela, de emoción silenciosa, de una vida vivida en dos almas. Él siguió profundizando, rizo a rizo, en la espiral de sus recuerdos personales, yo asentía en monosílabos discretos para afirmar mi presencia, y ambos dejábamos que largos silencios subrayaran la creciente cercanía de la mutua amistad.

Pasaron los minutos. El té iba bajando de nivel y enfriándose en las dos tazas. La luz del día había aumentado de breve destello a pleno resplandor, dejando ya el dominio al día. Nuestra charla iba también llegando por sí misma al final, y la última palabra llegó con el último sorbo de té. La ceremonia había concluido. Aún permanecimos sentados unos momentos, disfrutando cada uno de la presencia del otro. Luego él se levantó, tomó mi taza, la colocó en la bandeja junto a la suya, me saludó en despedida con una inclinación de cabeza y me dejó solo con mi trabajo. Yo volví a tomar el papel y la pluma y comencé a escribir en el rescoldo caliente que su presencia había dejado. Había sido un encuentro inolvidable.

El día siguió su camino. Era mi primer día en su casa. El almuerzo a media mañana, la salida al trabajo cada uno a su sitio, la vuelta por la tarde, la cena, la reunión de familia, los juegos con sus cuatro encantadoras niñas, sus risas y sus travesuras, la penosa vuelta al trabajo, ellas a sus deberes de colegio y yo a mis libros. Y luego la suavidad de la noche, el retirarse cada uno, la última sonrisa y el silencio blanco de las sábanas recién lavadas. Descanso entre dos días.

Amaneció la segunda mañana y comenzó el segundo día, facilitado ya por el ensayo del día anterior. Me senté a trabajar, y mi amigo se presentó en la puerta de mi cuarto a la misma hora, con la bandeja y las dos tazas en la mano. Volvía la escena del día anterior. Tomé la taza en silencio y me preparé por dentro para la intimidad del encuentro. El recuerdo de ayer estaba vivo en mi memoria, y no quería fallar hoy. La ceremonia del té de ayer había sido profundamente emotiva, y la de hoy no podía ser menos. Cuando empecé a gustar el té, reflexioné en mi mente que ayer había sido él quien había comenzado el profundo diálogo, y así hoy me tocaba a mí. Tenía que encontrar algo importante que decir, algo personal, íntimo, confidencial, para llegar a la altura a que él llegó ayer. Comencé a revolver ideas en la cabeza, primero con calma, y luego, al ver que pasaba el tiempo y no se me ocurría nada decente, poniéndome nervioso e impaciente. Fuera como fuera, había que sacar algo para iniciar el diálogo y despertar los sentimientos. No podía yo dejar pasar esta ocasión sin aprovecharla plenamente, como sabía que podía hacerse y que lo habíamos hecho ayer. No me perdonaría nunca a mí mismo si, de los pocos días que voy a estar aquí, dejase pasar esta valiosa oportunidad sin sacarle todo el provecho posible. El nivel del té en la taza había comenzado a bajar. ¿Qué podía hacer yo antes de que fuera demasiado tarde?

En medio de toda aquella agitación interna, tuve un momento de calma y se me ocurrió la idea salvadora de levantar la vista y mirar a mi amigo tal como estaba sentado enfrente de mí, con su taza en la mano. Vi su rostro sereno y tranquilo. No había en él rastro de ninguna ansiedad, expectación, exigencia de que yo hablase como él había hablado ayer; no había deuda que pagar ni plan que seguir. Ni siquiera había que hablar. Todo eso se leía en su rostro. Estaba tomando el té con recogimiento pensativo, en comunión silenciosa de su muda presencia con la mía. Nada de hablar. Nada de estropear la serenidad del momento con las prisas de la repetición. Nada de pensar, agitarse, preocuparse. Me calmé con sólo mirarlo. Dejé que su silencio me tocara. Recuperé el sabor del té. Apoyé la espalda en la pared y me relajé. Dejé que pasaran los minutos a su ritmo de siempre. Mientras así estábamos, dos gorriones entraron por la ventana y llenaron el cuarto con su presencia musical y saltarina. Los contemplamos con placer evidente. Acabamos el té al unísono. Permanecimos aún un rato sentados el uno frente al otro. Por fin, él se levantó, tomó mi taza vacía y rompió el silencio. Dijo: «Hoy te harán compañía los gorriones». Y me dejó con ellos.

También me dejó con mis pensamientos. Y mis pensamientos en aquel momento eran un remolino de emociones transparentes. Lo vi todo. La equivocación que había estado a punto de cometer y el oportuno despertar que había salvado la situación. La equivocación había sido querer repetir hoy la escena de ayer. Ayer la ceremonia del té había sido un evento memorable, y por eso hoy tenía que volver a serlo. Ayer había hablado él; por consiguiente, hoy me tocaba a mí. Ya tenía el precedente, el modelo, la inspiración. Sabía lo que el té matutino con mi amigo había de ser, y no iba yo a fallar. Era consciente de lo que se esperaba de mí, y estaba decidido a cumplirlo. También yo sé hablar con intimidad y en confidencia cuando quiero, y lo demostraría ahora mismo, para corresponder al modo en que lo había hecho mi amigo el día anterior. Tengo que pagar una deuda, y lo haré con creces. Haré que la ceremonia del té de hoy sea también un éxito como lo fue la de ayer, aunque tenga que devanarme los sesos y entregarme a fondo para ello. Yo estaba empeñado en repetir el pasado. Y repetir el pasado es la manera más segura de estropear el presente. Yo estuve a punto de echar a perder el té del segundo día por querer imitar el del primero.

Y entonces fue cuando desperté. La presencia serena de mi amigo me devolvió a la realidad y me hizo caer en la cuenta de que no había que hacer nada especial, sino dejar tranquilamente que las cosas fueran lo que son. Cuando las dejamos, ellas se nos presentan con toda su originalidad y frescura. El té de hoy era diferente del de ayer. El de ayer fue diálogo; el de hoy, silencio. Ayer hubo palabras de hombre; hoy, gorjeo de gorriones. Ayer intercambiamos ideas; hoy, miradas. Y el té de hoy había sido también maravilloso y profundo a su manera, precisamente porque había sido diferente del de ayer.

Dos tazas de té nunca son iguales. Aunque las haya hecho la misma persona en la misma tetera y de la misma manera, son diferentes. Ésa era la gran lección que yo tenía que aprender. Lección importante para mí, ya que tengo que tomarme unas seis tazas de té al día.

CADA VEZ QUE NOS ENCONTRAMOS...

Si aun el té hecho por la misma persona y de la misma manera es distinto en días distintos, ¡cuánto más la persona que lo hace! El o ella cambia de momento a momento, y más aún de día a día; y caer en la cuenta de este simple hecho es un gran paso en la noble tarea de aligerar la vida y entendernos mejor con los demás. De hecho, el té era distinto porque la persona era distinta, es decir, había cambiado en su interior de ayer a hoy, y el cambio de la persona es el que queda reflejado en el cambio del té, como es el que hace que cada mañana sea diferente, y cada encuentro, único. La persona humana tiene tal riqueza que cada faceta es nueva, y cada destello, una sorpresa. El arte está en dejarnos sorprender por personas a las que conocemos hace años y con quienes nos encontramos a diario y damos por supuestas en una monotonía sabida. Dar por supuestas las cosas es equivocación fundamental en la vida; dar por supuestas a las personas es pecado contra la humanidad. Al dar por supuesto a alguien, le robamos su personalidad, su novedad, su vida. Asesinato mental que no permite a mi hermano ser como es, es decir, no le permite existir. Lo he congelado en las cámaras frigoríficas del pasado y lo he convertido en un recuerdo dócil que yo puedo manejar con facilidad ensayada. Muy cómodo en la práctica. Y muy injusto en la vida. Mi hermano está vivo y rompe todos los moldes del museo y tiene derecho a mostrarme hoy el rostro que él elija. Es un crimen tratar de convertirlo en una momia.

Bernard Shaw dijo una vez: «De todos los que vienen a verme el más sabio es mi sastre. Cada vez que viene, toma nuevas medidas». Sabio en verdad. El cliente ha cambiado desde la última visita. No sólo altura y cintura, sino porte y andares y los mínimos ajustes de articulación y ángulo que logran el corte exacto de un traje nuevo. Un sastre que se respete no meterá la tijera a la tela sin medidas nuevas. Tómate la molestia y empuña el metro. Sólo entonces puedes echar mano a las tijeras.

Vuelve a tomar medidas. Mira de nuevo a tu hermano. No lo clasifiques, no lo etiquetes como si fuera una muestra de museo. No lo despaches en tu mente diciéndote a ti mismo: «Ya sé lo que va a decir, sé lo que piensa y sé cómo reacciona; puedo evitarme la molestia de preguntarle, porque lo conozco muy bien, y siempre será el mismo. No en vano hemos vivido tantos años juntos». Dale una oportunidad. Y, sobre todo, date a ti mismo la oportunidad de mirar las cosas y a las personas sin prejuicios ni rutina, para volver a verlas de nuevo. Tú sales perdiendo cuando das por supuesto al otro y te niegas a mirarle a los ojos. Tú te pierdes la novedad de la vida y de las cosas y personas que hay a tu alrededor, condenándote a una existencia aburrida. Si hemos de volver nosotros mismos a la vida, hemos de permitírselo también a todos cuantos nos rodean. No es grato vivir en un cementerio.

Un día iba yo a dar clase en la universidad como cualquier otro día del año. En el salón de la facultad de matemáticas me encontré con mi mejor amigo y colega y, con la familiaridad cotidiana que marca nuestra amistad, me puse a contarle sin más un incidente divertido que me había ocurrido aquella misma mañana y que me imaginé le haría gracia a él también. «¿Sabes lo que me acaba de pasar?» Y me lancé a la narración detallada del cuento divertido. Lo acabé en monólogo casi a gritos, y esperé su reacción. No la hubo. Entonces le miré a la cara, que es lo primero que debería haber hecho. Su rostro decía que estaba preocupado y acongojado por algo. Me arrepentí de haber hablado. Bajé el tono de voz y le pregunté bajo, muy bajo, con contrición en el tono: «¿Qué te ha sucedido hoy? Por favor, dímelo». Me explicó: «Se trata de mi hijo. Lo conoces. Anoche tuvo fiebre muy alta con delirio. Acabo de ingresarlo en la clínica, y de allí vengo. Estoy preocupado, porque aún no tenemos un diagnóstico claro, y la fiebre persiste. ¿Podrías repartir hoy mis clases entre los demás? Quiero volver enseguida al lado de mi hijo». Le aseguré que así se haría, le ofrecí mi apoyo y oraciones y lo acompañé hasta la entrada. El se marchó, y yo me quedé triste y humillado. ¡Qué estúpido había sido yo metiéndome con el cuento chistoso sin antes ver cómo se encontraba él. Había sido un atropello, un acto de violencia, una falta absoluta de sensibilidad y delicadeza. Yo me había dirigido a mi amigo de ayer, no al de hoy; al recuerdo de la última reunión, no a la realidad que tenía enfrente; a una sombra, no a una persona. Yo lo había dado por supuesto con la familiaridad engañosa del contacto diario. Yo había supuesto que hoy estaría él como todos los días, y toda suposición es un engaño. Había caído en la trampa eterna de regir el presente por el pasado.

Sólo con que yo le hubiera mirado a la cara, se habría arreglado todo. Por ahí debería haber empezado; ésa debería haber sido la manifestación de la verdadera amistad, el reconocimiento práctico de su persona. Mirarle a los ojos. Los tenía llenos de dolor. Delataban su preocupación y su pena. Cuando le dejé hablar, sus primeras palabras fueron: «Se trata de mi hijo». Si le hubiera mirado a los ojos, las hubiera visto escritas allí con claridad angustiosa. El rostro no miente. Los ojos hablan. Delatan, informan, avisan. Pero, para entender su lenguaje, hay que empezar por mirarlos de frente. Y yo no lo había hecho. Me había cegado. Había perdido el contacto con mi amigo. Las pocas horas desde la última reunión habían bastado para crear un abismo, porque mucho había pasado en ese espacio. Para caminar al lado de la otra persona, tengo que seguir su paso. Tengo que observar los rasgos de su cara y la luz de sus ojos. Tengo que empezar cada vez de nuevo, apoyado en el pasado, sí, pero nunca perdido en él.

He aquí una frase de Barry Stephens que encarna por sí sola todo un programa de vida: «Cada vez que nos encontramos es la primera vez». Esa frase vibra y calienta con sólo pronunciarla. Imagina que un amigo me dice al comentar juntos el pasado común: «¿Te acuerdas de la primera vez que nos encontramos?» Y yo le contesto con verdad espontánea: «Cada vez que nos encontramos es la primera vez». No conozco ideal más alto de amor humano. Nos conocemos hace años, nos hemos visto cientos de veces, podemos recitar cada uno la vida del otro de memoria... y, sin embargo, con plena honradez y humilde alarde, esta reunión es nueva, este encuentro es original, ésta es la primera vez que nos vemos. Dime tu nombre. Abreme tu vida. Déjame mirar, con admiración y cariño, a ese milagro que eres tú y que conozco tan bien, así como sé que sólo lo estoy comenzando a conocer. Los filósofos dicen que el individuo es «inefable», es decir, que no se puede expresar; y, dejando aparte la terminología, eso es lo que yo siento en impacto directo en el trato contigo. Te conozco tan bien que, precisamente por eso, sé que hay mucho más en ti todavía que yo no conozco, y quiero descubrir esos tesoros día a día, presentándome ante ti con la inocencia conceptual de la primera reunión, sin prejuicios, sin estereotipos, sin recuerdos, para ver la luz de tu rosto como la vez primera y escuchar la música de tu voz como el estreno íntimo de una sinfonía inédita.

Cada vez que nos encontramos es la primera vez, porque cada vez tú eres distinto, como yo también lo soy. No pisamos dos veces el mismo río, dijo Heráclito, y dijo con verdad, porque el río fluye sin cesar, y sus aguas nunca son las mismas. ¡Cuánto más cuando no se trata de aguas y corrientes, sino de vida y temple y alma y corazón y pulso y aliento. No entramos dos veces en la misma vida —vida de amigo íntimo—, porque la vida fluye y corre y canta como las aguas del río del paraíso por los campos de la creación. Para cuando te alcanzo, ya estás otra vez lejos en este bello juego del escondite que son nuestros encuentros y nuestros adioses. Ahora me explico por qué siento tanta emoción cuando voy a verte: es que adivino dentro de mí que vas a ser distinto, nuevo, reciente, y ardo en deseos de ver tu nuevo rostro y escuchar tu nueva voz. Te amo, mi amigo, y vengo a ti con la ilusión nueva de mi inocente admiración ante tu aparición siempre nueva, siempre llena de luz naciente. Que nuestras reuniones sean siempre inéditas, para que nuestra amistad sea siempre nueva.

MÁSCARAS Y MODALES

Los buenos modales son el alma de la vida social. Hacen que las miradas se encuentren, las manos se toquen, y los seres humanos se fijen unos en otros en medio del remolino de una existencia loca, aunque sólo sea por un breve instante de cercanía y amistad, mientras el resto de los hombres siguen sin hacerse caso, con indiferencia glacial. Una palabra cortés en el tono apropiado y en el momento exacto puede hacer mucho para suavizar las asperezas de la coexistencia diaria en un mundo hostil. Sin duda, fue un alma buena la que inventó esas palabras escogidas de atenta cortesía que ennoblecen el lenguaje y acompañan con dignidad a todas las circunstancias de la vida, desde un encuentro casual hasta una visita de pésame. La persona educada encaja suavemente, esté donde esté y diga lo que diga.

Pero el mundo de la etiqueta tiene también otro aspecto, éste ya no tan favorable ni agradable, y que incluso puede hacer mucho daño al individuo y a la sociedad. La rigidez, la artificialidad y la vaciedad que con frecuencia empañan los gestos y las palabras del ritual de sociedad. Lo opuesto a la espontaneidad, la sinceridad y la verdad. Y, por consiguiente, otra vez la falta de contacto real. Cuanto más se metan los ritos de sociedad en nuestro lenguaje y nuestra conducta, más perderemos nuestra verdadera personalidad.

La máscara de los buenos modales puede llegar a borrar los rasgos vivos del rostro humano.

«¿Qué tal estás?» - «Bien, gracias. ¿Y tú?» - «Vamos tirando». Así es. Todos vamos tirando buenamente, y no nos paramos a darles detalles a los demás de cómo vamos tirando, ni queremos que ellos nos los den a nosotros. Resultaría un poco violento si, al preguntar a un conocido que nos encontramos por casualidad por la calle: «¿Qué tal te va?», él se pusiera a decirnos allí, de pie en medio del tráfico: «Pues mira, ya que me preguntas, te cuento cómo me va. Hoy no me encuentro bien, me duele el estómago y he tomado unas pastillas; pero, si no se me pasa, voy a tener que ir al médico esta tarde. También estoy molesto, porque los padres de mi mujer parece que quieren venir a pasar las vacaciones con nosotros, y no sé cómo arreglármelas para que no vengan ni sé cómo me las arreglaré si vienen. Y luego pedí un crédito para comprar el coche, y me está resultando mucho má gravoso de lo que pensaba. Además…» Para entonces es posible que él se encuentre solo, hablando consigo mismo en medio de la calle, porque nosotros hemos desaparecido a toda velocidad por la esquina más próxima. Sí, es verdad que le habíamos preguntado qué tal le iba, pero todo el mundo entiende que la frase no quiere decir lo que dice, sino todo lo contrario. La decimos precisamente cuando no queremos que el otro nos cuente cómo se encuentra. Hablamos sin hablar. Nos encontramos sin encontrarnos. Hoy he visto a Fulano. ¿Qué tal está? Bien. Es decir, no tengo ni idea, porque no hemos hecho más que intercambiar fórmulas. Vivimos sin enterarnos. Ni él es él ni yo soy yo. Apariencias de contacto que evitan el contacto. Así vivimos. Es decir, así dejamos de vivir.

Los ingleses han llevado a la perfección el arte de la rúbrica. A la pregunta «¿Cómo está usted?» se contesta exactamente con la misma fórmula, sin variar palabra: «¿Cómo está usted?»; y de ahí se pasa a decir lo que había que decir, si es que había que decir algo. Dos preguntas y ninguna respuesta. Es decir, preguntas que no son preguntas en un encuentro que no es un encuentro entre personas que en aquel momento no son personas. De hecho, si la presentación ha tenido lugar en un grupo con varias personas, es posible que los dos que han sido mutuamente presentados no hablen entre sí ni una palabras más. Representación completa.

Los ciudadanos de cierto atribulado país contestan cuando se les pregunta qué tal les va en su tierra: «Bien, o... ¿te cuento?» Y con eso se paran. Asunto concluido. Otros, sobre todo en un grupo, tienen la costumbre de dar la mano a una persona mientras miran o incluso hablan con otra. Es una mentira corporal. La mano con una persona, y los ojos con otra. Adulterio ritual. El cuerpo debería estar todo él dondequiera que esté y con quienquiera que esté. El cuerpo ha de expresar lo que hay en la mente; de lo contrario, vuelve a dividirse la personalidad, a romperse el todo. Las fórmulas de cortesía nos escamotean con frecuencia la verdad y no nos dejan ser lo que en verdad somos. Peligro de guante blanco.

En una reunión a la que asistí, a la muerte de un personaje público y en memoria suya, se hicieron diecisiete breves discursos sobre el finado. Al cabo de un rato caí en la cuenta de que nadie estaba diciendo nada, sino frases hechas sobre la vida y la muerte. Pensé que, si se omitiera de los discursos el nombre del difunto, encajarían perfectamente en cualquier otro funeral con cualquier otro muerto. Su muerte había sido una dolorosa pérdida. Nadie podía imaginar que aquello iba a suceder. Fue un gran trabajador y un fiel amigo. El vacío que dejó nunca se llenará. Nunca nos olvidaremos de él. Ha sido un duro golpe para la familia. Pueden estar seguros de que Dios habrá recompensado en la otra vida sus virtudes en ésta. Descanse en paz. Amén. ¿Cómo está usted? ¿Cómo está usted? Y me voy sin sacar una sola idea de cómo era aquel hombre y qué pensaban de veras de él esos diecisiete oradores. ¿No había entre ellos un solo amigo personal que pudiera haber rasgado la cortina de formalismo con un destello de intimidad?

Un humorista indio describe cómo pasan las cosas por fuera y por dentro en una reunión de sociedad entre gentes de modales refinados. ¡Que cante fulano! ¡Sí, sí, que cante! Ya sabemos que es tímido, pero canta muy bien. ¡Venga, no nos falles! ¿Ves como te lo piden todos? No puedes negarte. No se niega. Canta solemnemente, en medio de la consternación general, y cuando acaba hay grandes aplausos, y alguien se siente obligado a pedirle que cante otra canción. Lo hace. No hay manera de pararlo. Comienzan a llegar los canapés. Queman de picantes, pero hay que alabarlos. La dueña de la casa confiesa que los ha preparado ella misma, y hay que repetir para complacerla. Que no se diga. Sufrirá el estómago, pero que no sufra la etiqueta. Luego, a alguien se le ocurre empezar a contar chistes, y que cuente uno cada uno, y hay que volver a reírse con los viejos chistes como si se oyeran por primera vez. Que no se diga. No se dice; pero se siente. Tampoco se libra nadie de pasar por las diversas habitaciones de la casa y admirar los muebles y los cuadros y las alfombras que han traído este año. Maravilloso todo. ¡Qué bien lo hemos pasado! Una fiesta perfecta. Pronto os invitaremos a la fiesta que también nosotros vamos a dar y a la que tendréis que asistir. Nadie se escapa. Desde hoy, cada uno de los huéspedes comienza a tramar la venganza con la fiesta que él dará. Hay que mantener la vida de sociedad.

Estaba yo escuchando una vez en un festival internacional de música clásica a una orquesta de fama mundial con un director de fama mundial y un programa de lujo. Sin embargo, en mitad del programa, entre un divertimento de Mozart y una sinfonía de Mahler, que fueron soberbiamente interpretadas y calurosamente apreciadas, el director había introducido una pieza breve de música atonal, cuyo autor no he de nombrar, y que se componía de una sucesión al azar de sonidos extraños sin melodía, armonía, ritmo o arte de ninguna clase, que los músicos tocaron con resignación y el director dirigió sin alma. Cuando los sonidos cesaron, tan tristemente como habían comenzado, hubo un largo momento de silencio en la sala. Nada de aquellas tormentas de aplausos que siguieron a Mozart y Mahler. Los instruidos y educados oyentes dudaron unos instantes qué hacer. Vi cómo se miraban unos a otros con una sonrisa irónica en el rostro y un leve movimiento de hombros. Por fin, ante el saludo prolongado del director desde el podio, aplaudieron tímidamente, cortésmente, mínimamente, para cumplir de alguna manera con la rúbrica. Yo no aplaudí. No me iba a poner a silbarle en protesta, pero tampoco quise aplaudir cuando la pieza, en mi opinión, no se merecía el aplauso. Y si todos aquellos señores y señoras tan bien educados se hubieran callado sencillamente, no hubieran aplaudido una pieza que en manera alguna les había gustado y no aplaudieran cuando se viola así un programa de música clásica con un ultraje atonal, eso acabaría con el abuso de mezclas penosas en conciertos serios. Que haya, desde luego, conciertos de música atonal y que vayan a los que les guste y aplaudan todo lo que quieran, pero que no estropeen un programa digno con experimentación dudosa bajo pretexto de educar al público. Lo que ocurre es que el público es demasiado educado para silbar en vez de aplaudir, y por eso ha cundido el abuso. Ese no es método de hacer avanzar el arte.

La máscara de la etiqueta puede congelar los rasgos de la vida en el rostro humano. Es verdad que la máscara puede a veces ser útil y evitarnos molestias y compromisos, pero la máscara no es mi rostro, y por eso, en definitiva, quiero deshacerme de ella. He aquí un pequeño incidente personal en el que viví el dolor, primero, y la satisfacción, después, de haberme quitado la máscara en un momento difícil. Esto es lo que sucedió.

Me hospedaba yo por unos días con una familia hindú, y comía con ellos mañana y tarde las dos comidas diarias indias en alegre compañía. La dueña de la casa se encargaba de que la comida fuera variada y agradable y escudriñaba mi rostro para ver cómo reaccionaba yo ante cada menú. Como ella era muy buena cocinera, yo me podía permitir el lujo de olvidarme y dejar que mi cara mostrase por su cuenta la satisfacción que yo sentía ante cada plato. Pero un día hubo un problema. Un plato favorito de la cocina gujarati es una especie de tarta de harina que se sirve con una salsa muy picante. Cuando se come eso, no se come nada más, ya que llena mucho y es plato único. Estoy acostumbrado a cocinas de Oriente y de Occidente, y hay pocos platos que me desagraden vivamente, y éste es uno de ellos. Con esto tenemos ya todos los ingredientes para el pequeño drama doméstico. Yo estaba sentado en el suelo de la cocina con las piernas cruzadas, y tenía ante mí el plato grande de metal a punto de recibir el menú del día. Se acercó la mujer, y yo levanté la mirada para ver lo que venía. Era el plato vedado. Y ella me estaba diciendo con una gran sonrisa: «¡Mire lo que le he preparado hoy! Seguro que le gusta, ¿verdad?» Buen compromiso para mí. Si me hubiera dicho antes, por la mañana, qué pensaba cocinar hoy, yo le podría haber explicado mis gustos, y el menú habría cambiado a tiempo. Y si hubiera habido otro plato además de éste, yo podría haber dejado uno y comer del otro, y nada habría pasado. Pero no, había sólo un plato, a mí me desagradaba profundamente, estaban a punto de servírmelo y me preguntaban si me gustaba. ¿Qué iba a decir yo?

Mi primer impulso fue mentir, sencillamente, y decir: «¡A quién no le gusta! ¡Un plato tan exquisito! Lo he comido muchas veces, y lo volveré a comer hoy con mucho gusto. ¡Lléname el plato!» Esas mentiras las he dicho muchas veces en la vida, y una más no haría cambiar las cosas; en cambio, me sacaría a mí del apuro. Muchas veces he comido platos que no me gustan, y no pasaría nada por hacerlo una vez más. Estaba perfectamente decidido a ponerme la máscara y comerme aquello. Pero de repente desperté. Conocía bien a aquella mujer, apreciaba su amistad, me fiaba de ella, me atrajo la aventura, y reaccioné de manera distinta. Cobré valor, le miré a los ojos y, con ternura en el tono y sinceridad en el rostro, le dije: «Me encantaría poder decirte que me gusta este plato, y desde luego que aprecio el interés que te has tomado en prepararlo hoy con todo cariño para mí; pero, ya que me preguntas, y con la sinceridad a que tu mismo afecto me da derecho y me obliga, he de decirte que este plato no me gusta nada. Lo comeré sin problemas, desde luego, pero gustarme no me gusta».

¡La que se armó! Lamentos, protestas, pena, enfado; alguien propuso pedir comida a alguno de los vecinos, pero yo me negué rotundamente a que el problema saliera de casa; todos juraron no dar nada nunca por supuesto y preguntar antes de preparar una comida de plato único para un huésped. Yo sentí la pena de haber causado el revuelo y la satisfacción de no tener que comer algo que no me gustaba. Tomé algo que improvisaron allí mismo, mientras los demás disfrutaban con su plato favorito. Pero todos aprendimos mucho en aquella comida. Nuestra amistad se hizo más íntima, y la mutua confianza creció, ya que yo me había atrevido a decir la verdad y ellos la habían encajado bien. Creció mi credibilidad y, de ahí en adelante, cuando yo decía que me gustaba algo, se lo creían, ya que, cuando no me gustó, lo dije. Con decir que no me gustaba un plato había obtenido el derecho a ser creído cuando decía que me gustaban los demás; y esta credibilidad se extendió de la cocina a la vida, y mi palabra adquirió peso desde aquel día y aquella comida. Y aún otra ventaja: he vuelto a esa casa muchas veces, pero ¡nunca me han vuelto a dar ese plato! Quitarse la máscara duele un poco al principio, pero siempre resulta bien al final.

CÓMO PASARLO MAL EN EL CINE

Conozco dos maneras de pasarlo mal con una buena película. Una es llegar al cine con una gran expectación sobre lo que va a ser esa película, caer en la cuenta desde el principio de que no es tan buena como decían y, al final, resignarse a la decepción inevitable. La otra manera es venir sin prejuicio alguno, pero notar que la película se parece a otra que vimos antes, ponerse a comparar las dos, decidir que la antigua era sin duda mucho mejor que la nueva, tal como siempre sucede, y sentenciar por fin, con sabiduría cansada, que no está mal, pero que la otra era mejor. Comparación y expectación. Pasado y futuro. Las dos maneras de acabar con el presente.

Cada cosa es válida en sí misma. Cada película, cada libro, cada persona. Cada rostro tiene su belleza, y cada palabra su música. Tenemos bóvedas de archivos en la memoria y, en cuanto entra un concepto en la mente o una sensación en los sentidos, comenzamos a revolver el fichero hasta que encontramos un precedente, comparamos la idea nueva con la antigua y declaramos con convencimiento absoluto que la antigua era mejor. Lo sabemos muy bien. Hemos conocido tiempos mejores e ideas más nobles. Se está perdiendo el buen gusto y están bajando los niveles artísticos. Lo de antes es lo que valía de veras, y todo lo que le sigue va en tono menor y en talento mínimo. Miramos y escuchamos condescendientemente, pero por dentro sabemos que estamos ante un espectáculo de segunda, nosotros, que habíamos sido testigos privilegiados de un arte mejor. La comparación con lo más alto disminuye el valor de lo mediano.

El gran pensador y escritor hindú, Kálelkar, decía que él disfrutaba con la música india, precisamente porque no entendía mucho de música. Citaba a un amigo suyo que entendía mucho, había oído a los mejores maestros en sus mejores momentos, y su recuerdo surgía inevitablemente en su memoria cuando oía a otros, y le estropeaba el concierto, por bueno que éste fuera. Se impacientaba, se molestaba, sacaba defectos, todo acababa por parecerle mal. Había probado el vino bueno y ya no podía sacarle gusto al menos bueno. La misma expresión «menos bueno» lo dice todo. Lo «bueno» está allí, pero al ser «menos» queda rechazado sin remedio. Los críticos de música son los que menos disfrutan en los conciertos.

Estaba yo una vez viendo una película con un amigo que tiene la bendita habilidad de disfrutar de cualquier cosa como si fuera lo único que existe y como si fuera la primera vez que la ve. La capacidad que tiene el niño con sus ojos vírgenes y su facilidad para la sorpresa y la admiración. Más que disfrutar de la película, yo disfrutaba viéndole a él disfrutar de la película. De hecho, la película era una de esas segundas partes que lanzan al mercado, cuando una primera parte ha tenido éxito, para aprovechar su popularidad, y lleva el mismo nombre que la primera, con II detrás, y con los mismos actores, los mismos trucos y la misma trama. Con un poco de suerte, pueden llegar una tercera y una cuarta partes, y todo lo que hace falta es ir poniendo III o IV tras el nombre consagrado. Yo había visto la primera parte y, al ver ahora la segunda, la iba comparando en mi mente con la primera, llegando a la conclusión de que la buena había sido la primera, y ésta era sólo un triste refrito de la primera con repeticiones constantes y un final que se veía venir desde el principio. Nunca segundas partes fueron buenas, y ésta menos que nunca. Así se lo dije a mi amigo en el descanso, y añadí el comentario de por qué él se estaba divirtiendo con la película y yo no: «Tú no viste la primera parte, y por eso ésta te parece divertida; pero para mí, que la vi, ésta es sólo una repetición mediocre de aquella y me está aburriendo». Me sorprendió su respuesta: «También yo vi la primera parte cuando salió, y me gustó mucho. ¡Pero ésta también está muy bien! Olvídate de aquella y métete en ésta, y ya verás qué bien lo pasas». Había tal convicción en su voz y tal alegría en su rostro que me rendí a la evidencia y volví a entrar en la sala después del descanso descartando prejuicios y precedentes. Fui a ver y a disfrutar. Y disfruté. Mi amigo tenía razón. Yo había dejado que la primera parte le hiciera sombra a la segunda; había dejado que la comparación destruyera la realidad, y con eso había perdido la capacidad de apreciar cada cosa en lo que vale. Todas valen algo. Aun segundas partes.

Conozco a una mujer que considera su matrimonio un desastre —aunque su marido es una persona excelente en todos los sentidos—, sólo porque su hermana menor se casó luego mejor todavía, y la sombra del cuñado extraordinario anula al marido bueno pero ordinario. No tiene otra queja contra su marido sino que es inferior a su cuñado. Nadie ha hecho nada malo y, sin embargo, ese matrimonio va por los suelos. También conozco a no pocos estudiantes que responden con poco entusiasmo cuando les felicito por una buena nota en un examen importante, porque, aunque ellos han sacado buena nota, algún rival suyo en clase la ha sacado aún más alta todavía, y eso les agua la fiesta y les quita el entusiasmo. Ahora bien, como en toda actividad de la vida y para cada uno de nosotros siempre hay alguien más listo o más guapo o con más suerte o más dinero, ahí tenemos un método infalible de hacernos desgraciados a nosotros mismos en cualquier sitio y en cualquier circunstancia. Por bien que te hayan salido las cosas, mira un poco a tu alrededor: pronto descubrirás a alguien que ha sacado mejor nota o ha conseguido mejor empleo, y así podrás quejarte y sollozar a gusto hasta la próxima ocasión, en que, con un poco de práctica, conseguirás enseguida encontrar a quien lo haya hecho mejor que tú y te podrás entregar inmediatamente al luto sin impedimento alguno. Ya va siendo hora de que aprendamos a vivir nuestra vida sin mirar a otros, sin dejar que los éxitos de los demás empañen nuestras alegrías.

Si no hay que dejar que otros rijan nuestras vidas con sus éxitos o fracasos, mucho menos hay que dejarles que lo hagan con su juicio directo sobre nuestra conducta. Todo el mundo tiene derecho a expresar su opinión, y la gente lo hace con facilidad; el peligro viene cuando esa opinión es sobre personas concretas, y esas personas se enteran y se dejan influir indebidamente por lo que otros dicen. Es sano oir y enterarse de la crítica, pero no lo es el aceptarla ciegamente y dejarse abatir por el juicio de los demás. Si no quiero que el compararme con otros enturbie mi vida, mucho menos quiero que el dejarme juzgar por otros determine en manera alguna lo que yo valgo y cómo me encuentro. Lo que los demás digan de mí no ha de gobernar mi vida ni alterar mi temple. Son libres de decirme a mí lo que quieran, pero yo también soy libre para reaccionar con tanta firmeza como humildad y salvaguardar mi libertad en el gobierno de mi vida.

Cuando alguien me ataca directamente con una queja personal y concreta con la que yo no estoy de acuerdo, tengo un método que me resulta muy bien y, de ordinario, basta para frenar el ataque del crítico más agresivo. Un ejemplo. Alguien viene y me dice: «Eres un egoísta». En vez de negarlo o defenderme y ponerme a discutir con él, le doy la razón y, al mismo tiempo, lo paro respondiéndole: «En tu opinión». Y, sin darle tiempo para reaccionar, añado en el mismo tono conciliador: «… que respeto y no comparto». Con frecuencia, esta sencilla frase basta para parar el golpe y acabar con el ataque. A veces, sin embargo, el crítico insiste: «No es sólo mi opinión; todo el mundo piensa lo mismo». Entonces una simple pregunta basta: «¿Cómo lo sabes?» No es fácil averiguar lo que todo el mundo piensa sobre un asunto o sobre una persona concreta, y en todo caso siempre se puede añadir otra consideración importante: «También yo formo parte de ese 'todo el mundo', y mi opinión es distinta. Para mí, ésa es la opinión principal». Lo importante es no ponerse a discutir sobre el asunto en cuestión. «Eres un egoísta». «No lo soy». «Sí que lo eres». «He dicho que no lo soy». Y así golpe a golpe, sin avanzar y sin terminar, ya que, cuanto más lo niego yo, más lo afirma él, y no hay manera de entenderse. Por eso la táctica buena es la opuesta. De entrada acepto lo que dice y se lo concedo plenamente; tomo nota de que él me considera a mí un egoísta, y reconozco el pleno derecho que tiene a pensar así. En su opinión, yo soy un egoísta. No discuto eso y, por consiguiente, no discuto con él. Al mismo tiempo le indico cortésmente que su opinión quizá no sea enteramente universal y que, en todo caso, difiere de la mía, que es la que cuenta para mí. No me pongo a discutir. No intento probar que él no tenga razón y yo sí. No entro en manera alguna en un duelo que, en el mejor de los casos, no serviría de nada. Sencillamente, acepto su postura y defino la mía. Guardo las distancias y le mantengo el respeto. Incluso le manifiesto mi aprecio por haberme comunicado su opinión, ya que siempre me gusta saber lo que otros piensan de mí como parte de mi entorno total, aunque no me deje llevar por sus opiniones. El sistema resulta. Corta la discusión y me deja a mí con gran paz de alma. Es consejo de Carl Rogers: «Mi centro de evaluación está dentro de mí mismo». Sabias palabras. Ni el compararme con los demás ni el dejarme juzgar por ellos ha de tener lugar en mi vida para que se desvirtúe. Lo escucho todo, y yo decido mi camino. En todo caso, ésa es mi opinión.

LA TRAMPA DE LA FELICIDAD

Un amigo me enseñó una vez la importancia que las suposiciones sobreentendidas tienen en la vida. Con frecuencia discutimos, reñimos, nos confundimos y sufrimos íntimamente sin remedio, porque tomamos el problema a su nivel aparente, en el que no tiene solución, y nos olvidamos de sus raíces ocultas, que son las que pueden llevarnos a entender la situación. Sacar a la luz suposiciones ocultas es una sana y fértil ocupación que puede evitarnos mucho sufrimiento y muchos malentendidos innecesarios.

Uno de los sobreentendidos básicos de la vida, quizá el primero y más profundo, es que tenemos que ser felices. Y estoy comenzando a pensar, con toda humildad y no sin cierto cosquilleo travieso en mis entrañas, que ese sobreentendido puede que, a fin de cuentas, no sea verdad, ¡y qué descanso tan enorme sería si lo pudiésemos dejar a un lado! Desaparecería de repente la urgencia de buscar la felicidad; la necesidad de ser y aparecer y sentirnos felices; el sentido de culpabilidad y frustración que nos invade cuando, a pesar de todos nuestros esfuerzos, no conseguimos alcanzar la meta sublime; la vergüenza de tener que admitirlo; la carga de lograr lo que nadie puede lograr; y podríamos descansar tranquilos, felices por fin al liberarnos de la obligación de tener que ser felices. Es posible que estemos ahuyentando a la felicidad por las ansias que tenemos de ser felices.

Éste es quizá el condicionamiento más severo a que nos hemos visto sometidos en nuestra vida y el que más graves consecuencias tiene. Sobre todo los religiosos, como es mi caso, nos sentimos doblemente obligados por el mandamiento «Serás feliz», ya que representamos a Dios ante los hombres, y sería dejar en mal lugar a Dios si nosotros, sus representantes, pareciéramos tristes y afligidos, lo que querría decir que el servicio de Dios sería una pesada carga, en vez del alegre privilegio que ha de ser por definición: *«servire Deo regnare est»* (servir a Dios es reinar). Hemos de ser felices para demostrarle al mundo que la gracia de Dios funciona, que su reino se ha inaugurado ya en nuestros corazones, que hay esperanza para la humanidad y alegría para los que creen en Dios; y con mayor urgencia aún queremos ser y aparecer felices para atraer vocaciones jóvenes a nuestra manera de vida, para que se nos unan y continúen nuestro trabajo, y nos den seguridad y apoyo cuando ya nuestra generación va envejeciendo. Todas ellas, razones muy válidas para procurar la felicidad y para que, así, la gente pueda ver en nosotros una fuente de alegría y una base de esperanza en medio del sufrimiento y la sinrazón del mundo de hoy.

Y, sin embargo, no se nos hace fácil ese mandamiento. En una reunión con un grupo de religiosos, hombres y mujeres, una religiosa se levantó y preguntó a bocajarro: «¿Por qué los religiosos no son felices?» Respeté por un instante el silencio eléctrico que su pregunta causó en la sala, y luego dije con toda la ternura que me cabía en la voz: «Hermana, ¿quiere usted decir que usted no es feliz?» Un sollozo ahogó la respuesta. Ella había proyectado sobre los demás su dolor personal, pero los rostros que me rodeaban en aquel momento en la sala proclamaban, con testimonio mudo de expresión tensa, que la pregunta no iba en vacío. La felicidad no se hace fácil ni aun a aquellos que profesan liberarse de los cuidados del mundo para dejar brillar sobre la tierra un destello anticipado del cielo.

Estaba yo visitando una vez una especie de feria religiosa organizada con todo lujo por una conocida secta de cierta religión. Sus seguidores se ofrecían a guiar al visitante, explicarle cada «stand», darle octavillas de propaganda y, sobre todo, sonreir sin cesar con cara de gloria destinada a expresar, mejor que ningún otro testimonio o argumento, la felicidad de que ellos gozaban en el ejercicio de su fe y que podía gozar todo aquel que se decidiera a seguirlos. Me dejé llevar y me dejé enfocar las sonrisas. Todo fue bien hasta que a mí, con aire de travesura, se me ocurrió meterme detrás de una cortina que separaba del recinto público un pequeño espacio reservado a los seguidores de la secta. Allí dentro no había sonrisas. Las mismas personas que fuera irradiaban felicidad ante los incautos visitantes, aquí estaban tensas, cansadas, irritadas, hablándose unas a otras con aspereza y gestos bruscos. Por fin, uno de ellos notó mi presencia, se dirigió a mí llamando la atención de todos al hacerlo, y el ambiente cambió al instante como por encanto. Las sonrisas relampaguearon de nuevo. Parecían entrenados en «enchufarlas» y «desenchufarlas» según el caso. Me preguntaron dulcemente qué deseaba; rogué que me indicaran el «stand» central; me acompañaron hasta allí con toda amabilidad y más sonrisas, y la cortina volvió a caer para encubrir sus enfados y mal genio. Me di por satisfecho de haber visto la feria.

Pensadores serios y honestos no han dudado en expresar la difícil verdad de la vida humana. Bertrand Russell escribe en su autobiografía: «Estoy asombrado de ver la cantidad de personas que son desdichadas casi más allá de los límites del aguante humano». Y luego: «El mundo se me representa como un lugar horrible; la miseria de la mayor parte de la gente es muy grande, y con frecuencia me pregunto cómo pueden sobrellevarla». Thoreau ya había dicho que «la mayor parte de la gente lleva vidas de resignada desesperación». Schweitzer dijo de sí mismo que había conocido muy pocos momentos felices en su vida. Y un gran personaje indio, líder religioso de la comunidad jainista de Bombay, escribió una vez un artículo autobiográfico en la revista de que era editor y le puso por título: «Soy un hombre desgraciado». En él, sin nada de cinismo, autocompasión o exhibicionismo mórbido, enumeraba fría y llanamente las duras pruebas y la enervante rutina de una vida que, por lo demás, había sido singularmente noble, apreciada y fecunda. Estos maduros testimonios hacen de contrapeso frente al optimismo fácil de miradas superficiales que quieren ver la felicidad al alcance de la mano, y que sólo logra causar una frustración mayor al ver que se escapa cada vez.

Para mí fue una experiencia inolvidable leer en tierras argentinas y de una vez la épica de *Martín Fierro* por José Hernández. El gaucho, personaje cercano a la tierra y lejano al mismo tiempo por la figura imposible de su desprendimiento estoico. De los gauchos escribió su compatriota Jorge Luis Borges: «Aprendieron los caminos de las estrellas, los hábitos del aire y del pájaro, las profecías de las nubes del Sur y de la luna con un cerco. Fueron pastores de la hacienda brava, firmes en el caballo del desierto que habían domado esa mañana, enlazadores, marcadores, troperos. Eran sufridos, castos y pobres. La hospitalidad fue su fiesta. Alguna noche los perdió el pendenciero alcohol de los sábados. Morían y mataban con inocencia». El gaucho no se encuentra a gusto en la ciudad de los blancos, donde podría llevar una vida tranquila, y no se fía de las pampas y los indios, donde, sin embargo, escoge vivir en libertad su precaria y generosa existencia sin más posesión que su caballo y su cuchillo, su sombrero y su poncho. «Mestizos de la sangre del hombre blanco, lo tuvieron en poco; mestizos de la sangre del hombre rojo, fueron sus enemigos» (Borges). Martín Fierro, en el poema, desgrana sus desventuras con versificación tan espontánea que el alma le sale en verso, y rima las desgracias de su vida con el quejido abierto de su «poesía de metáforas rústicas». Y cuando llega al final, el poema (primera parte) se cierra con una estrofa desgarradora, testigo en verso del dolor del hombre sobre la tierra.

«Pero ponga su esperanza
en el Dios que lo formó;
y aquí me despido yo,
que he relatado a mi modo

males que conocen todos
pero que naides contó».

Con su fe en Dios y su fatalismo resignado, la vida del
gaucho se revela en una sola palabra: «males». Eso es lo que
él ha relatado a su modo, porque eso ha sido su vida. Y esos
males los saben todos, pero todos se callan y se engañan a
sí mismos y a la vida, a la que pretenden hacer aparecer
mejor de lo que es, en baja conspiración de silencio cómplice.
«Pero que naides contó». El último verso es de despecho y
enfado contra todos los que callan acerca de las miserias de
la vida. Hace falta la hombría y la fe del gaucho para cantarle
a la vida las verdades y aparecer tal como uno es. Y de ahí
precisamente nace la poesía, que es realismo vivido con «diálogo pausado» y «culto al coraje». No ocultemos los males
de la vida si queremos cantar su realidad. No nos forcemos
a ser felices si queremos ser (otra vez Borges) «quieta pieza
que mueve la literatura».

Freud escribió: «Soportar la vida es difícil, no sólo para
algunos individuos, sino para toda la humanidad». Herbert
von Karajan, un año antes de su muerte, declaró el epitafio
que deseaba se grabase en la lápida de su tumba: «Murió tras
largas y graves dolencias». Abderramán III manifestó en su
testamento que en toda su vida de conquista y gloria había
sido feliz solamente catorce días, y añadió humilde y refle-
xivamente: «... y no seguidos». Y Lope de Vega, en su
célebre letrilla «A mis soledades voy, / de mis soledades
vengo», dejó también el testimonio en verso de su condición
humana en estas líneas:

> «No me precio de entendido,
> de desgraciado me precio;
> que los que no son dichosos,
> ¿cómo pueden ser discretos?»

Fernando Pessoa, el poeta de la prosa incisiva que corta
el alma, esculpe una frase que descubre un mundo y pone
en evidencia a la humanidad entera: «Me irrita la felicidad

de todos estos hombres que no saben que son desgraciados». Si no lo saben ellos mismos, ¿cómo lo van a decir?, ¿cómo se van a dejar sentir a ellos mismos la realidad de sus vidas?, ¿cómo van a alcanzar el equilibrio y la vitalidad humana que vienen de ver y aceptar y asimilar todo lo que hay de gozo y de dolor en la vida, de moverse con sus ritmos, de vivir con su aliento, de subir a las cumbres y bajar a los valles? La sinceridad ante el dolor es condición esencial para la plenitud de la vida.

Un fervoroso sacerdote me dice en una carta que acabo de recibir: «Estoy decidido a hacer que este año sea un año de felicidad honda y constante para mí, para celebrar así mis veinticinco años de sacerdocio». Bello pensamiento que respeto y admiro en mi hermano de sacerdocio; pero, a mi manera de ver y entender, trampa peligrosa que puede convertir su aniversario en algo muy distinto de lo que él espera. No es probable que él consiga labrarse doce meses ininterrumpidos de felicidad profunda, y al cabo del año se va a tener que enfrentar con un dilema penoso. Puede que sea lo suficientemente sensible y honesto como para ver y admitir que su propósito no ha resultado, y en ese caso su desilusión aguará el entusiasmo que había manifestado en la causa más sagrada del mundo, como es el sacerdocio cristiano. Si aun el sacramento más íntimo en la madurez de una vida consagrada no consigue atraer la felicidad, ¿dónde podrá encontrarse ésta? O quizá puede también cegarse ante los hechos, negarse a admitir la desilusión evidente y declarar al mundo entero y a sí mismo que ha sido un año magnífico, lleno de las bendiciones del Señor y del aprecio y afecto de los hombres mucho más allá de lo que esperaba o merecía. Dulce mentira de ocurrencia frecuente. Aun las personas más piadosas practican con toda inocencia esa autodecepción y proclaman que ha sido un éxito lo que a todas luces ha sido un solemne fracaso, haciéndose creer a sí mismas que lo que ha sucedido es que han pasado por una prueba de fe que les ha de traer gran felicidad más adelante, y entretanto ellos deben mantener la imagen de Dios como dador de felicidad a todos, para que no se empañe su nombre y no vacilen los hombres en su fe. Y aún le queda otra posibilidad a ese buen sacerdote al final del programa fallido de sus bodas de plata, que es olvidarse sencillamente de su propósito y su fracaso y continuar de la misma manera hasta sus bodas de oro, veinticinco años más tarde, para celebrarlas con mayor sobriedad. La felicidad no se obtiene con hacer propósito de obtenerla; y, profundizando algo más todavía, me atrevo a decir que la felicidad no habría de vincularse necesariamente con ocasiones que llamamos «felices» ni recuerdos que consideramos «sagrados», por muy legítimos que éstos sean. Ésa es la presunción oculta que quiero sacar aquí a la luz. Ama tu sacerdocio, dale gracias al Señor por él, consagra este año de tu aniversario con la renovación generosa de tu entrega a Dios y a su pueblo; pero no programes la alegría y la felicidad de encargo, porque no es así como funciona la vida.

Como contraste, oí una vez a una conocida figura pública declarar con asombrosa y espontánea candidez ante una pregunta de entrevista: «No soy feliz, ¡ni falta que me hace!» La naturalidad con que pronunció esas palabras les quitó el sentido despectivo que de otra manera podían haber tenido. Se trataba de una persona en pleno juego con la vida, que se había descolgado de la creencia de que todos hemos de ser felices y se enfrentaba a la realidad con una neutralidad envidiable, fuente de tranquilidad y de humor, trajese lo que trajese la vida. En ninguna parte está escrito que yo haya de ser feliz, y así puedo tomar la vida tal como venga, con sus altibajos, sin medir euforias ni calcular depresiones. Equilibrio y sentido común.

Un colegial le preguntó una vez a Krishnamurti después de una charla en su colegio: «Señor, ¿es usted feliz?» Es interesante, para empezar, que fue un joven colegial quien hizo la pregunta. En las muchas charlas que Krishnamurti dio en su vida y los centenares de preguntas que han quedado reseñadas en sus libros, procedentes de todo tipo de oyentes en distintos países, sólo un joven estudiante, que yo sepa, se atrevió a hacer la pregunta directa y personal. Otros hacían preguntas filosóficas, domésticas, religiosas o morales, pero ningún adulto, ningún seguidor apasionado o curioso indiscreto había tenido el valor y la sencillez requeridos para preguntar la pregunta más íntima y más amenazadora que puede hacerse a un hombre. ¿Es usted feliz? Digo «amenazadora», porque nadie quiere admitir que no es feliz, ya que un condicionamiento universal nos hace poner la felicidad como meta de la vida humana y sentencia a la vergüenza pública a los que no la consiguen. Uno podría contestar que sí, que claro que soy feliz, ¿no lo ves en mi cara?, ¿no ves cómo sonrío?, claro que la vida tiene sus más y sus menos, para mí como para todo el mundo, pero en conjunto no puedo quejarme, y sí, soy de veras feliz y espero seguir siéndolo. También podría uno eludir la pregunta poniéndose a dar definiciones filosóficas de la felicidad: su sentido íntimo, que es compatible con penas y sufrimientos; su fundamento eterno en la fe y en la providencia de Dios, que siempre sabrá sacar bienes de los males; y los ejemplos de santos y sabios que vivieron en paz en medio de tribulaciones. La pregunta es difícil en todo caso, y lo es por dos razones: porque pocas personas tienen clara conciencia de su grado de felicidad personal y porque menos todavía están dispuestas a revelarlo ante un curioso casual. La felicidad personal es secreto desconocido en sí mismo y velado a los demás.

En Krishnamurti sí tenemos a un hombre en pleno contacto consigo mismo y plenamente honesto en sus respuestas. Es verdad que sus respuestas se dirigían con frecuencia, no al nivel superficial de la pregunta, sino a su fondo oculto o a sus sobreentendidos olvidados, y que, más que dar respuestas a la medida, buscaba hacer que el autor de la pregunta reflexionara y encontrase por sí mismo la respuesta final. Pero en este caso el autor de la pregunta era un chico de colegio, y el ambiente era íntimo y familiar, lo cual hizo aún más sencilla y valiosa la respuesta de Krishnamurti. El muchacho le preguntó: «Señor, ¿es usted feliz?», y Krishnamurti contestó al instante: «No lo sé. No he pensado sobre ello. Pero, si me pongo a pensar en ello, desde luego que me sentiré desgraciado».

Bienaventurado aquel que no se ha puesto a pensar si es feliz o desgraciado, y a quien ni siquiera se le ha ocurrido la pregunta. Bienaventurado aquel que se ha liberado de la necesidad de ser y aparecer feliz, de tener que contestar a la pregunta directa que claro que es feliz, muy feliz, y que si volviera a vivir su vida (¡cuántas veces se dice esta tontería!) volvería a vivirla mil veces como ha vivido ésta, que le ha dado la verdadera felicidad. Bienaventurado aquel que puede decir con tanta sencillez como verdad: «no lo sé». Esa pregunta no me toca, ese problema no me llega. Estoy libre del condicionamiento que hace que la vida del hombre sobre la tierra no haga más que dar vueltas y vueltas alrededor de la obsesión de la felicidad personal. Y no quiero ponerme a pensar en ello, no quiero caer en la trampa que conseguiría hacerme desgraciado.

La felicidad es como la salud. En cuanto empiezas a hablar de ella, es que anda mal. Un hombre sano no piensa en su salud, no habla de ella, no va preguntando a todo el mundo si tiene buena salud. El que hace eso demuestra que él no anda bien de salud. Un cuerpo sano vive la salud sin ser consciente de ella. El día en que comienza a preocuparse por ella, es que la ha perdido. La felicidad es como un zapato. Si uno se olvida de que lo lleva, es señal de que se ajusta bien. Si uno empieza a comprobar si aprieta o no, ¡mala señal! La felicidad es como un juego, como un deporte. Si en mitad de un partido de tenis o de un juego de cartas te pones a pensar si lo estás pasando bien… no lo estás! Todo el pensar, esforzarse, escribir, enseñar, predicar, exhortar a la gente a que sea feliz es un noble ejercicio que al final se hace daño a sí mismo. Lo mejor que se puede hacer con las teorías de la felicidad es dejarlas en paz. Lo mejor que puede hacer el lector de este libro con este capítulo es olvidarlo. Ése será el final más feliz.

LA HOJA DE BAMBÚ

Un incidente en la vida de Buda. Cuentan que un día estaba sentado en presencia de sus discípulos, cuando una mosca se posó en su frente. Inmediatamente la espantó con un rápido movimiento de la mano. La mosca se marchó. Entonces, en el silencio que siguió, Buda levantó la mano muy despacio y, deliberadamente, se la llevó a la frente y repitió todo el movimiento lo mismo que antes, aunque la mosca ya no estaba. Los discípulos se dieron cuenta de la extraña conducta del maestro, y uno al menos tuvo el valor de preguntarle directamente (y sin él no tendríamos la anécdota): «Maestro, habéis hecho como que espantabais una mosca de vuestra frente cuando ya se había ido la mosca. ¿Podéis explicarnos el sentido de esa acción?» El maestro explicó: «Cuando la mosca se posó sobre mi piel, yo sentí un cosquilleo y reaccioné instintivamente ahuyentando la mosca con un movimiento reflejo. Lo hice sin prestar atención, sin conciencia previa de lo que estaba haciendo. Ahora bien, yo, como sabéis, deseo ser siempre consciente de lo que hago, y por eso he repetido el gesto, esta vez como gesto consciente mío. Si mi cuerpo ha de ser mío, mis gestos también han de serlo».

Un aspecto importante de ser yo mismo es ser mi cuerpo, que es parte mía muy cercana, íntima, familiar... y al mismo tiempo bien poco familiar. Para decir que algo le era desconocido, Chertestón usaba la expresión «tan desconocido para mí como mi propia espalda». Tan cerca y tan lejos. Mi mitad olvidada. Mi elemento extraño. Y hay que recobrar el contacto. No es que yo haya de controlar cada movimiento como una máquina o portarme como un robot. Todo lo contrario. Tengo que ser dócil, flexible y espontáneo en el cuerpo como en el alma. Así como mis pensamientos son míos, del mismo modo han de serlo mis gestos, y yo he de poner en ellos alma y vida como las pongo en mis pensamientos y sentimientos. En uno de los primeros capítulos de este libro he indicado algo sobre el condicionamiento del cuerpo, sobre las tensiones y deformaciones de músculos y nervios y posturas y huesos. Lo que ahora quiero, al ir volviendo a descubrirme y regirme conscientemente, es recobrar la amistad con el cuerpo, para que todo mi ser se integre de una vez en salud total. El fin es recobrar la conciencia de lo que hago, no sólo con la mente y el corazón, sino con las manos y los pies. También ellos son parte de mí.

El matrimonio Herrigel, Eugen y Gustie, fueron al Japón a aprender el Zen. El marido, Eugen, lo hizo estudiando el arte del tiro al arco, mientras que su mujer, Gustie, eligió el camino más femenino del arte de arreglar flores. El método es lo que menos importa; lo que importa es el largo entrenamiento y el espíritu con que se hace. Ambos se entregaron a su cometido y nos han dejado, en dos libros paralelos y deliciosos el testimonio de su experiencia, para inspiración y estímulo. Resulta bien interesante ver a un sólido filósofo alemán tomar el arco y las flechas, tensar todos sus músculos, apuntar con toda su alma e intentar una y otra vez dar en el blanco ante la fría mirada crítica del maestro, que a todo saca defectos y anula el resultado hasta cuando sale bien. Seis años enteros. El profesor alemán era ya un experto en el uso del rifle y sabía lo que es tener puntería, pero cuanto más se esforzaba por alcanzar la perfección, más faltas le sacaba su maestro japonés y le criticaba su mismo esfuerzo, su tensión, su preocupación por dar en el blanco. El cuerpo ha de ser un todo con la mente y ha de seguir por su propio impulso el pensamiento como la mano sigue a los ojos, y los ojos del cuerpo a los de la mente en la unidad orgánica del ser humano plenamente integrado. Cuando nos fiamos del cuerpo, ya no se trata de que el cuerpo «obedezca» a la mente, sino de que ambos cooperen a una, sabiendo cada cual su parte y siguiendo los mutuos impulsos con comprensión paralela. Fácil de decir y difícil de hacer.

Se perfecciona la respiración hasta que el ritmo profundo, personal y vital dirija todo lo que el cuerpo y la mente hacen en amistoso unísono; las manos se colocan por sí mismas sosteniendo el arco sin esfuerzo y estirando la cuerda que está pidiendo que la estiren, mientras los brazos y los hombros quedan perfectamente relajados, los pies se afirman con la naturalidad que les da su fuerza en sólida elegancia, dejando que el cuerpo entero se entregue al alegre juego hasta que llega el momento exacto y la flecha «se dispara a sí misma» y vuela adonde sabe que tiene que volar, derecha al blanco que está esperando su visita y la invita al abrazo final. Todo esto suena a poesía en oídos occidentales, pero para el instructor japonés eran clases concretas de práctica de arco. Es fácil imaginar la frustración del profesor alemán y el peso de seis años de penoso aprendizaje.

El maestro enseña que para conseguir una marca perfecta hay que olvidarse por completo de ella, hay que esperar pacientemente a que la acción se produzca por sí misma, hay que dejar de pensar del todo en uno mismo y todas las ambiciones y cálculos de uno. «Todavía no has dejado de pensar en ti mismo. Es bien sencillo. Puedes aprender la lección de una hoja de bambú. Se va doblando y bajando bajo el peso de la nieve. De repente, la nieve resbala y cae al suelo sin que la hoja haya hecho nada. Déjate llevar suavemente hasta ese punto de tensión máxima en que la flecha cae por sí misma como la nieve de la hoja. Así es como ha de suceder. Cuando llega ese momento, la flecha ha de salir de la mano del arquero antes de que éste pueda pensar en ello».

El cuerpo no es instrumento, sino compañero. La presencia aguda de los sentidos en comunión con la mente, el adivinar el momento orgánico en el que el suceso quiere suceder, y el dejarlo suceder con la misma naturalidad con que la apretada hoja de bambú despide la carga de nieve y vibra en libertad hasta la grácil curva que ocupa en el espacio. Lenguaje literario que oculta el largo esfuerzo para recobrar el contacto con el cuerpo que hace tanto tiempo hemos perdido. Todavía sufrimos las consecuencias de la división causada por las sospechas contra el cuerpo, las acusaciones de que la carne es el enemigo del alma y hay que someterla con firme disciplina y mortificación rigurosa. De hecho, si hay algún mal en el hombre, éste está en la mente; pero la mente, en traición mentirosa, ha acusado a los sentidos de ser ellos lo agentes del mal y ha declarado una guerra santa contra ellos para desviar nuestra atención y ocultar su propia culpa. Es hora de hacer justicia y acallar la mente mientras el cuerpo recobra el sano equilibrio y la sabiduría instintiva, que le guía a lo que es bueno para él y, por consiguiente, para el todo de nuestra personalidad, de la que él es parte inseparable.

El Oriente ha desarrollado más el aspecto corporal de nuestras vidas, y su literatura, antigua y moderna, está llena de historias que ilustran el papel de un cuerpo amigo en una vida integrada. Gichin Funakoshi cuenta una de esas historias verdaderas que tiene por protagonista a uno de los grandes maestros de karate de su tiempo, Isoku. Era la figura más sobresaliente en el arte, pero un joven aspirante que tenía una gran opinión de sí mismo pensó que podría derrotarlo si lo pillaba desprevenido. Para ello espió una noche su camino por la ciudad, se acercó sigiloso por detrás y le propinó un golpe capaz de tumbarlo. Pero Isoku estaba tan alerta y era tan rápido en cuerpo y mente que, apenas le rozó el puño del asaltante, sin volverse a mirar y sin siquiera dejar de caminar ni alterar el paso, disparó su mano derecha atrás como un relámpago, atrapó con cerco de hierro la mano que lo atacaba, y siguió adelante arrastrando al atacante como un fardo inútil, sin dignarse ni echarle una mirada. El pobre joven, humillado y dolorido por el arrastre férreo, comenzó por fin a pedir perdón, y sólo entonces Isoku habló y le preguntó, como si nada hubiera pasado: «¿Cómo te llamas?» El dio su nombre, e Isoku comentó suavemente: «No deberías meterte con un viejo como yo». Lo soltó, y continuó su camino al mismo paso hacia su casa.

Esa fuerza, rapidez, control y humor revelan un desarrollo armónico de todo el ser humano en todos sus aspectos, del que podemos aprender mucho los que nos hemos formado en ambientes exclusivamente intelectuales que favorecen a la mente, pero olvidan las demás cualidades y potencias de la persona humana. Cada uno es heredero de su propia tradición, y hay que aceptarla con gratitud y generosidad; pero ahora que la gente viaja y las culturas se mezclan y los libros se traducen y la curiosidad aumenta y una mitad de la humanidad se entera no sólo de cómo vive la otra mitad, sino de cómo piensa y razona y obra, todos haremos bien en disponernos a enriquecer nuestras experiencias pasadas con encuentros nuevos.

Es un hecho comprobado y consolador que la paz del cuerpo ayuda a conseguir la paz del alma. Un cuerpo tenso alberga una mente tensa, mientras que un cuerpo tranquilo y relajado siempre da cobijo a una mente relajada. Estimamos mucho la paz del alma y hacemos lo posible por alcanzarla y mantenerla; y quizá no hemos empleado a fondo todavía ese medio excepcional y obvio para la paz del alma que es la paz del cuerpo. Hay escuelas y técnicas, libros y prácticas de todo tipo, y muchas pueden ser útiles si se enfocan bien; pero lo importante es la actitud personal, el descubrimiento íntimo, el convencimiento radical y el deseo imperativo de entrar en comunión con el cuerpo, valorarlo y fiarse de él. Entonces él se relajará por su cuenta y, con su propio bienestar, preparará y mantendrá el bienestar del alma a la que está unido. Que la hoja de bambú sienta por sí misma el peso de la nieve que se va acumulando sobre ella en el invierno de la vida, que conozca su propia fibra y escoja el momento, que deje caer la carga cuando la carga pida que la dejen caer, y que vuelva a saltar entonces a la curvatura esbelta que le ha dado la naturaleza para que adorne su jardín.

Un día de tantos en las duras lecciones de Herringel, después de años de sudores y desengaños y frustración, al lanzar la flecha con una perfección que ni él mismo sospechó, el discípulo constante vio a su maestro volverse hacia él y hacerle una profunda inclinación en silencio. Lo había conseguido. La flecha se había disparado a sí misma. Había llegado la investidura. Y su vida había cambiado para siempre. Por el mismo tiempo, y tras un parecido esfuerzo y desespero, su mujer logró un día también el don huidizo de dejar que las flores se arreglasen ellas mismas a través de sus bien entrenados y suaves dedos. Una experiencia que había cambiado la vida de ambos. Había costado seis años.

La importancia de esta doctrina viene del principio tan fundamental como olvidado: el contacto constante con el cuerpo es nuestro mejor vínculo, práctico y personal, con el momento presente. Quien vive consciente y alegremente en su cuerpo, vive felizmente en el presente.

EL NIÑO JUGUETÓN

Junto con el cuerpo y los sentidos, otro rasgo de nuestra naturaleza que está pidiendo a gritos que lo desarrollemos es el niño que todos llevamos dentro. El niño juguetón. El niño travieso, indiscreto, incontenible. Esa fuente de alegría, creatividad y espontaneidad que nos aligera el trabajo y alivia el corazón. El papel que ese niño juega en nuestro carácter es el mismo que el que juega el niño en la familia: en medio de los trabajos diarios y los choques continuos, de problemas sin cuento y tensiones inevitables, la presencia del niño en casa es alegría y cariño, es vida y energía, es invitación sonriente a que nosotros también olvidemos el sufrimiento y nos acordemos de que un día éramos niños y podemos seguir siéndolo con provecho propio si sabemos traer a nuestra edad madura las virtudes entrañables del niño juguetón.

El niño que llevamos dentro no ha muerto. Sólo está sofocado por las etapas de educación, instrucción, riñas, amenazas, castigos, miedos y engaños que son lo que se llama una buena educación en una familia respetable. Hemos perdido la sonrisa y hemos ocultado la travesura en los últimos rincones de nuestra personalidad, por miedo a que nos llamen infantiles en un mundo de adultos. No, no somos niños, somos personas serias, somos maduros y responsables, y sabemos mantener horas enteras, sin pestañear, una conversación que no nos interesa en absoluto, sonriendo y asintiendo con la cabeza todo el rato como si estuviéramos profundamente interesados. Ese arte, si es que es arte, sí que lo dominamos, y así es como hemos aburrido a los sentidos y apagado la vida. Si conseguimos despertar al niño que todavía duerme en nuestro interior y darle el puesto que le corresponde en nuestra vida adulta, descubriremos una nueva alegría y una nueva frescura y podremos comunicarlas a los demás, que es la mejor contribución que podemos hacer al triste mundo de hoy. La sociedad de hoy necesita urgentemente la risa de un niño para sobrevivir. Y, antes de continuar, dejemos constancia de la razón principal para traer aquí al niño a escena. El niño es todo vida y energía, porque es una criatura de presente. Los relojes todavía no se han hecho para él.

El niño tiene fantasía, creatividad, originalidad. Ve ángeles en una nube y hadas en el jardín. El niño sabe crearse un mundo de ensueño en las circunstancias más aburridas, y disfrutar luego su propia creación con interés loco. Una vez estuve observando el juego de dos niños en el polvo de un patio vacío. Habían puesto unas cuantas piedras en cierto orden que a ellos les debían decir mucho, y uno de ellos le explicaba al otro con una seriedad absoluta: «Éste es el garaje de los camiones; éste es el sitio de carga, y éste el de descarga». Al hablar señalaba con el dedo las distintas áreas que para mí, desde luego, eran todas lo mismo, polvo y piedras, pero que para él y para su amigo eran inconfundiblemente distintas, y sería un disparate absurdo confundir ni por un momento el sitio de carga con el de descarga. Estaba bien claro. Los camiones iban y venían, camiones que eran trozos de ladrillo arrastrados y empujados por los entusiasmados empresarios, y cargaban y descargaban sin tropiezo alguno, entrando y saliendo siempre por la puerta que debían, sin confundirse una sola vez. Habían construido su primera fábrica, y era un éxito. Habían creado un mundo de fantasía en medio del polvo y las piedras. Y el niño juguetón que llevo dentro tiene esa misma valiosa facultad de poder crear un palacio encantado entre el polvo y el barro en que vivo. Puede hacerme jugar con las piedras y ladrillos de mi trabajo diario como si fueran diamantes y rubíes; puede hacerme ver ciudades celestiales en una triste oficina, y rostros de ángeles en los hombres que me rodean. Necesito a ese niño juguetón para poder contemplar mi vida diaria con ojos de hada.

El niño representa la ternura, el amor, el cariño. El abrazo de un niño colgado al cuello es una de las sensaciones más bellamente humanas que conozco en la vida. Redime con su casta inocencia todo el miedo, la culpa y la soledad de una mente sospechosa. Calor humano, risa cercana, peso ingrávido. Con un niño agarrado al cuello, veo el mundo de manera distinta y me palpita por dentro la vida. Ante el niño puedo ser alegre sin reserva, abierto sin miedo, cariñoso sin recelos. Valiosa bendición en un mundo de infidelidades. Una vez, en los años que pasé viviendo de casa en casa con familias hindúes en la ciudad, me acosté la primera noche en una casa y me arropé bien con la única manta que me dieron, ya que hacía más frío que de ordinario. Cuando estaba a punto de dormirme, noté unas pisadas ligeras en el suelo, un pequeño cuerpo que trepaba a mi cama y se metía entre las sábanas, y la voz callada del niño pequeño de la familia que me decía: «Mi mamá te ha dado a ti mi manta, y yo tengo frío. ¿Verdad que me harás sitio para que duerma caliente contigo?» Le hice sitio. Dormí feliz con el calor de la manta y del niño. Por la mañana, al levantarme yo, él seguía durmiendo, le besé suavemente sin despertarlo, lo arropé bien en la manta para que no le llegara el frío de la mañana, y me fui a enfrentarme con el día, llevando en el alma la alegría que un niño cariñoso y confiado me había regalado aquella noche. ¡Que la ternura despierte en mi corazón para poder llevar a una vida fría el calor de una niñez feliz!

El niño es travieso, y la travesura es uno de los ingredientes más valiosos de la vida en este planeta. La sorpresa, la broma, la carcajada. El tomar la vida a la ligera como hay que tomarla, dispuestos siempre a reírnos de nosotros mismos y hacer que los demás se rían de sí mismos, que todos quieren hacerlo y nadie se atreve en esta seria y rígida sociedad en que vivimos. Todo es tan ridículo a nuestro alrededor que lo único que podemos hacer es tomarlo a broma y reírnos de buena gana de este carnaval que llamamos vida. Yo me identifico del todo con la Natacha de *Guerra y paz,* de Tolstoy, cuando, al llegar a la ciudad desde su vida en la campiña, la llevan a ver una ópera, ve los trajes absurdos de aquellos ricos aristócratas y sus mujeres, sus gestos exagerados y sus voces afectadas, mira a su alrededor para cerciorarse y ver si los demás sienten también lo que ella siente, y se encuentra sólo con inclinaciones corteses y admiración fingida; y entonces, de repente, le entran unas ganas tremendas de saltar al escenario, ponerse a imitar a los actores, pegar a un conde con el abanico y hacer cosquillas a la marquesa de al lado. No llega a hacerlo, claro está, pero su delicioso carácter infantil se le desborda por todas partes, y está deseando acabar con tanto cumplido y consegir la sinceridad. A mí me ocurre exactamente lo mismo cuando tomo parte en alguna ceremonia solemne con vestiduras oficiales y rúbricas tradicionales, y todo el mundo está muy serio y muy digno, y a mí me dan ganas de saltar al medio y bailar un zapateado, tirarles del pelo a los que lo llevan largo, hacer una profunda venia y pasar la bandeja a ver quién da más. Por fuera, desde luego, estoy tan serio y solemne como cualquier otro, pero al menos disfruto del circo que me va por dentro.

En otra familia con la que viví en mi peregrinación de casa en casa, un chico se tomó la libertad de gastarme una broma. Yo iba todas las mañanas a la universidad en bicicleta, y en bicicleta volvía por la tarde a la casa en que estuviera alojado, ya que ése es el mejor medio de transporte en las calles estrechas, apretadas, llenas de tráfico y transitadas por vacas en mi querida ciudad. Pero aquel día, al ir a buscar por la mañana mi bicicleta donde la había dejado la noche anterior, frente a la casa, no estaba allí. Me quedé de una pieza. No son raros los robos y, si me habían llevado mi bicicleta, me iba a crear bastantes molestias de todo tipo. Andaba yo alicaído, rebuscando por las callejuelas de al lado, cuando el timbre de una bicicleta sonó claro y agudo detrás de mí y me hizo volverme de repente. Allí estaba mi bicicleta, y junto a ella haciendo sonar el timbre estaba el chico de la casa, que la había ocultado para ver cómo este personaje reaccionaba ante una sencilla broma. A decir verdad, yo estaba molesto; pero, al ver su cara llena de alegría y de satisfacción por haberme tomado el pelo, reaccioné enseguida y aprecié más la broma compartida que el breve susto de la pérdida imaginada. Pensé para mí mismo; mientras miraba y acariciaba al joven bromista: hay mucha gente que me conoce, me aprecia, me honra, pero hay pocos que tienen la confianza de tomarme el pelo, y esta confianza es más valiosa que todas las alabanzas y reverencias del mundo. Así se lo dije al muchacho. Él se enorgulleció de su hazaña. Y a mí me alegra recordarla ahora.

Una historia de otro niño en otra casa. Para mí importante, pues me hizo recobrar, aunque sólo fuera por un día, mi propio sentido de la infancia. Estaba yo sentado en el suelo y escribiendo en un rincón de la pequeña habitación, que era cocina, comedor y cuarto de estar todo en uno, cuando noté que el hijo menor se acercaba a su madre que estaba cocinando y le decía algo en voz baja que yo no oí, pero que desde luego se refería a mí, ya que ambos miraron hacia mí durante el breve diálogo. El niño se había lastimado un pie y no podía andar. En aquella casa no había bicicleta ni moto ni coche, y todos iban andando a su oficina o colegio y, como el chico no podía andar ese día, estaba claro que se quedaría sin ir al colegio, cosa que él sentía, porque era un buen estudiante y no le gustaba perderse la clase. ¿Qué hacer, entonces? De eso se trató en ese breve diálogo entre madre e hijo en voz baja y mirándome a mí. Pronto se reveló el secreto de aquella mirada. El niño se acercó tímidamente a mí y se inclinó para hablarme. Yo levanté los ojos, lo miré, dejé la pluma en el suelo, le acaricié la cabeza con la mano, y él habló: «Hoy no puedo andar. ¿Me podrá usted llevar en su bicicleta cuando usted vaya a la universidad y dejarme en mi colegio?» Sentí una ola de ternura pasar por todo mi cuerpo al oir sus palabras y ver su cara. Se había fiado de mí. Había pensado en mí. Se había atrevido a pedirme un favor, a pedirme que hiciera lo que yo nunca había hecho en la vida:

llevar en la bicicleta a un chico al colegio. No me iba yo a perder esa ocasión. No le había de fallar. Le contesté enseguida: «¡Ya lo creo que te llevaré! ¡Iremos juntos! ¡Lo que nos vamos a divertir! Prepárate y, en cuanto mamá nos dé de comer, salimos. Voy a asegurarme de que la bicicleta está en forma, pues nunca ha afrontado una responsabilidad como ésta».

Salimos juntos. Lo senté en la barra y lo rodeé con mis brazos al agarrar el manillar. Avancé despacio y seguro, consciente en alma y cuerpo del valor de la carga que llevaba. Por una vez en la vida, tenía yo un niño a quien llevar al colegio; casi un hijo prestado, un regalo de un día. Sentía el perfume de su negro pelo espeso rozándome la cara, el peso de su cuerpo en lo que cada pedalada me costaba, su pie herido colgando inerte, la música de su voz por encima de los ruidos del tráfico, la alegría con que tocaba el timbre, tarea que yo le había encomendado a él. En la India está prohibido llevar a nadie en la barra de la bicicleta, pero yo confiaba que, si algún guardia nos detenía, le explicaría la situación y nos entendería; y si no, estaba dispuesto a pagar la multa, pero no a hacerle bajarse al niño. Nos cruzamos con otros que también llevaban niños a la escuela en vespas, motocicletas y aun coches, padres de verdad cumpliendo con el deber cotidiano del viaje repetido. Para ellos era una carga diaria; para mí, un privilegio fuera de lo ordinario.

Llegamos al colegio, que yo hubiera preferido estuviera un poco más lejos todavía. Otros chicos y chicas iban llegando a pie, en bicicleta, en coche, y la alegre procesión convergía en la entrada del colegio, donde un profesor daba la bienvenida a los estudiantes como todos los días. Me vio y me reconoció. El sabía quién era yo, y naturalmente le había sorprendido verme llevar a un niño al colegio. Me observó mientras yo bajaba con cuidado a mi muchacho de la bicicleta, le encargaba a un compañero suyo que lo acompañara y le recordaba que por la tarde, a la hora exacta, vendría a la puerta a buscarlo. Cuando me montaba otra vez en la bicicleta para proseguir mi camino, aquel buen profesor no pudo ya contener su curiosidad y me hizo la pregunta que le estaba atormentando todo el rato: «¿Quién era ese niño?» - «Mi hijo», le contesté con alegre espontaneidad, y apreté los pedales. También yo estaba aprendiendo a gastar bromas.

EL DIFÍCIL ARTE DE LA ESPONTANEIDAD

La gran virtud del niño es la espontaneidad. Aunque no todos la llamarían siempre virtud. A veces les causa problemas a los padres del niño ante visitas de cumplido, pero el contrapeso de alegría, frescura y puro encanto de la vida que proporciona a los que tienen el privilegio de vivir junto a un niño es tal que compensa con creces por esos pocos ratos en los que la verdad sin censura del niño inocente tiñe de rojo las mejillas de los adultos que lo rodean. Y aun esos sofocos resultan luego, una vez que se han marchado las visitas, divertidos y repetidos de boca en boca en alabanza del niño y de su hazaña de decir lo que nadie se atrevía a decir. ¿Sabes lo que dijo? ¡Y delante de todos! No podíamos contener la risa cuando lo dijo, aunque teníamos que disimular de alguna manera. Y, además, ¡qué razón tenía! Buen camino lleva.

Feliz el niño que puede decir sin trabas lo que siente y tal como lo siente, sin censura de mente o de sociedad, sin preocuparse por modales o etiqueta como los mayores. Y felices esos mayores si saben cómo volver a traer a sus vidas la espontaneidad juguetona de sus primeros años y combinarla sabiamente con la madurez de la edad. La difícil virtud de dejarnos sentir a nosotros mismos lo que realmente sentimos y atrevernos a expresarlo con delicadeza y humor ante gente que necesita un soplo de aire fresco en su vida tanto como nosotros lo necesitamos. Somos demasiado rígidos, inflexibles, esclavos de la costumbre y mórbidamente autoconscientes. Hemos perdido la inocencia original en la primera mañana de un paraíso lejano, y desde entonces recorremos caminos trazados en paisajes de polvo, según el uso establecido y la tradición fija. Cuando caemos en la cuenta de lo que hemos perdido, comenzamos a sentir dentro de nosotros el deseo de recobrar el tesoro perdido. Así empezamos a revivir.

He aquí la historia de una de esas inocencias perdidas. Hay una estatua famosa que he admirado desde pequeño y he visto reproducida en diferentes contextos, en museos y jardines, en pintura y escultura, y todavía puedo ver en una casa vecina sobre el cuidado césped, entre enredaderas atrevidas que enmarcan y realzan la postura clásica. Es la estatua de un joven de cuerpo inocente, de pie sobre una pierna, con la otra doblada hasta dejar el pie cariñosamente en las manos, que le sacan una espina clavada en su talón. El equilibrio exacto, el cuerpo griego, las curvas matizadas, la convergencia espontánea de todos los rasgos en el pie dolorido con la espera inmediata del remedio feliz... todo ello crea una belleza íntegra y profunda que penetra el alma del que sabe admirar. De esa estatua se trata en la historia, y quien la cuenta es Heinrich von Kleist o, más bien, un amigo suyo que se la contó a él y que queda en el anonimato.

Ese amigo se estaba bañando un día con un joven a quien describe como bello de cuerpo e inocente de alma, y, abandonados a sus juegos, resultó en un momento dado que aquel joven, de pie sobre el césped, se agarró un pie con las manos y asumió, sin darse cuenta, la postura del joven de la estatua. La misma noble «pose», la misma abandonada elegancia, la misma obediencia artística de todos los miembros del cuerpo al foco único del pie levantado. Entonces él vio su imagen reflejada en un espejo grande en el jardín al otro lado de la piscina, cayó en la cuenta de la semejanza con la estatua, y así se lo dijo a la otra persona que lo observaba. También éste, que era persona mayor y de experiencia, había notado por su cuenta el parecido entre su joven amigo y la estatua, pero, para no halagar su vanidad, no dijo nada, y aun cuando el joven se lo mencionó, el otro dijo que no era verdad y que estaba viendo visiones. El joven entonces se sonrojó e insistió: «Sí que es verdad. Mira, te lo voy a demostrar, voy a hacerlo otra vez». Lo intentó, pero en vano. Se puso en la misma postura, pero él mismo cayó en la cuenta de que resultaba artificial, forzada, ridícula. Estaba tenso, violento, agitado. Lo intentó otra vez. Lo intentó hasta diez veces, dice su amigo y testigo, pero cada intento era peor que el anterior. Estaba nervioso, molesto, enfadado consigo mismo. Por mucho que hizo, no logró repetir aquella primera «pose» que había florecido por sí misma en belleza pura sin ensayos.

Y aún pasó algo más. El amigo que relata la historia continuó diciendo que desde aquel día el joven cambió. Perdió su encanto, comenzó a pretender que se fijaran en él, se sonrojaba y amaneraba en cuanto aparecía una mujer, se hizo artificial en sus gestos y ridículo en sus modales. «Al cabo de un año», declaró el amigo, «no quedaba en él ni rastro de aquel gracejo espontáneo que tanto lo adornaba». Había perdido su inocencia, literalmente. No hay esfuerzo que pueda volver a captar aquello cuya esencia es el suceder sin esfuerzo. No hay ensayo que pueda revivir ese estado que precede a todo ensayo. El joven que ambicionó la belleza de la estatua perderá la propia. Se cierran las puertas del paraíso.

Aunque no del todo. La conciencia de lo que hemos perdido, el recuerdo de nuestra inocencia original, la humildad, la sencillez y la apertura que acompañan al deseo constante y a la ferviente esperanza pueden preparar el camino para una nueva infancia integrada a través de los años en la edad adulta que ahora vivimos. Todos hemos tenido en nuestra vida esos momentos de lucidez en que el cielo se abre, la vida se hace transparente, el mundo cobra sentido, y una sonrisa abierta le dice a la humanidad que la alegría existe. Hay momentos en que llegamos a ser nosotros mismos, en que la gracia de la espontaneidad desciende sobre nosotros, y nos encontramos en paz con el mundo entero y con nosotros mismos, agraciados por la bendición de la verdad en un reino de mentiras. La práctica fiel de vivir el presente, el contacto con la realidad y la determinación de ser nosotros mismos pueden multiplicar esos momentos y aliviar la monotonía del diario vivir. Los mejores momentos de nuestra vida son los momentos de espontaneidad genuina, cuando nos fiamos de nosotros mismos y de todos y todo lo que nos rodea, y nos damos sin reserva con lo mejor que llevamos dentro.

Así sucede en las artes. Quizá la mejor obra de Granados sea el intermedio de «Goyescas», y el modo como lo compuso explica la inspiración que consiguió. Había compuesto ya los dos actos para la representación teatral, y todo el espectáculo estaba ya ensayado, anunciado y las entradas vendidas, cuando le informaron que tenía que haber un intermedio de orquesta entre los dos actos. No quedaba tiempo. Si había que transcribir las partituras individuales y ensayar la pieza por lo menos una vez, había que sacarla inmediatamente. Así lo hizo. La urgencia inescapable dio alas a la creatividad del maestro, se sentó a componer, se olvidó de todo, dio rienda suelta a las ideas musicales que se le venían a la mente y, de una sentada, acabó su obra maestra. Si hubiera tenido tiempo de sobra para componerla, es muy posible que no le hubiera salido tan inspirada. El músico se olvidó de sí mismo… y encontró su música.

Lo mismo dicen que le pasó a Beethoven con el allegretto de la octava sinfonía. Es verdad que se encuentran apuntes de él en cuadernos anteriores de Beethoven, ya que siempre le gustaba anotar las ideas musicales que se le ocurrían, pero la composición de todo el movimiento parece se hizo de una sentada, y eso explicaría su perfección inaudita, que casi no es de este mundo. Las notas fluyen, juegan, saltan con tal alegría en las cuerdas y la madera y el metal y el viento que parecen hacer música por su cuenta mientras el compositor, los músicos y los oyentes no tienen más que relajarse y disfrutar con el espectáculo. Difícil facilidad que es la marca del genio.

Adán y Eva nos jugaron una mala pasada en aquella tarde fatal. Invitaron a la vergüenza, se hicieron mayores e inventaron la moda. Desde entonces nos hicieron difícil a todos el ser nosotros mismos con sencillez confiada. Los disfraces del cuerpo son símbolo de los disfraces de la mente, los engaños, los disimulos, la falsa cortesía, los modales artificiales. La sonrisa que miente y las palabras que no dicen nada. La máscara social. Triste invento del mundo adulto.

Si no os hacéis como niños, no entraréis en el Reino de los Cielos.

MIL MAESTROS

Cuando le preguntaron a un gran santo hindú quién era su guru —pregunta obligada en un país donde la creencia de que «sin guru no hay salvación» es dogma universal—, él dio en respuesta los nombres de varios animales de la naturaleza y explicó con una sonrisa que de ellos había aprendido el equilibrio del cuerpo, la espontaneidad en la acción y la integración de la conducta. Los animales, al no poseer una mente humana, están libres de remordimientos del pasado y preocupaciones del futuro, y en consecuencia pueden entregarse del todo a lo que estén haciendo en un momento dado, con unidad total de miembros y sentidos. En ese sentido son nuestros maestros. Viven el presente con la inocencia orgánica de su elegancia elemental. Lecciones ambulantes en la escuela abierta de la misma naturaleza.

En un rincón de la habitación está durmiendo el gato. Observa su sueño modelo. El blando cuerpo doblado sobre sí mismo en aterciopelada pereza. El rítmico palpitar de su respiración reposada. Tranquilidad absoluta. Paz completa. El mundo no existe para el gato que duerme o, más bien, se ha fundido de tal manera con él que se mueve en su órbita y vive en su atmósfera, arrastrado por la vida como un planeta por el cosmos. Con sólo mirar el dormir de un gato, siento ya que las tensiones de mi cuerpo se van relajando y disolviendo y desapareciendo, a medida que mis ojos siguen las curvas de su cuerpo, mis oídos captan su rítmico respirar y mi ser entero se deja invadir por la imagen viviente del descanso feliz. El gato no necesita tranquilizantes para conseguir dormirse en una noche agitada. No necesita hacer ejercicios de relajación antes de acostarse para atraer a su cuerpo a la caprichosa diosa del sueño. No tiene más que dejarse llevar y permitir que los ojos se le cierren cuando quieren cerrarse. Y llega el sueño.

Ahora el gato despierta. Un ruido, un arañazo, una ráfaga de viento. Algo dentro de él ha dado la voz de alarma, y su cuerpo entero ha respondido con alerta súbita. Duerme del todo cuando duerme y se despierta de todo cuando se despierta. Con una mirada dominadora a los cuatro costados, se hace cargo del mundo y se levanta despacio sobre sus cuatro patas. Entonces llega uno de los momentos más valiosos en la vida de un gato y un espectáculo privilegiado para quien puede observarlo sin ser visto: el gato bosteza y se despereza con toda su alma, se apoya en la patas traseras y alarga todo su cuerpo como si fuera de goma, en arco perfecto, hasta las patas delanteras, mientras su boca se abre en busca de límites imposibles, perdida toda noción del tiempo. Cada célula de su cuerpo se abre al aire fresco y a la sangre nueva. El cuerpo prueba su flexibilidad y prepara sus reflejos. El gato se estira más y más, en demostración descarada de su abierto placer. ¡Mirad y tenedme envidia, seres humanos a quienes se enseña a no bostezar y no estirarse! ¡No es buena educación! Pero es buena salud y buen placer y buen gozo. Es la sabiduría de dejar que el cuerpo se encuentre a sí mismo en la fibra de sus músculos y las cavidades de sus pulmones. El ritual primitivo. El yoga elemental. La oración de la mañana de la naturaleza ante el nuevo día. El gato lo sabe y aprovecha hasta el fondo el placer de cada bostezo después del sueño.

El gato juega y caza. Juega cuando caza, y caza cuando juega. Ha entendido el principio fundamental de que la vida es juego. Hay una historia (apócrifa, pero significativa, como todas las historias de músicos) según la cual Chopin compuso el vals en re bemol mayor mirando a un gatito que jugaba con un ovillo de lana. Lo cogía, lo soltaba, echaba a correr, tiraba de él, se enredaba, se enrollaba hasta quedar él mismo hecho un ovillo y rodar con la lana que lo cubría... Las notas rápidas, ligadas, repetidas y disparadas una y otra vez hacia la tónica, describen las carreras juguetonas, el lío en aumento, la cautividad cómica y la carcajada final. El hombre se regocija en su alma al contemplar las alegres travesuras del endiablado gatito, ya que en ellas ve reflejadas la libertad y la broma que él desea secretamente para sí mismo. Los dedos del pianista siguen los movimientos del gato en parentesco darwiniano, pues ambos son reflejos del mismo instinto en cuerpos distintos. Y así el vals se acelera hasta la plenitud del último acorde.

Ahora el gato se pone tenso. Ha visto a su presa. No, no la ha visto todavía, pero el radar de su organismo le ha avisado que un ratón anda por ahí. Sus ojos, su nariz, su piel, sus orejas han sintonizado con las vibraciones invisibles, y él lo sabe y espera. Todas las articulaciones de su cuerpo están en máxima alerta para el salto inmediato. Su cuerpo entero, siguiendo el instinto de sus sentidos, apunta hacia el rincón exacto en que la cita mortal tendrá lugar en el momento fatídico. No hay orante ni místico en escuela alguna de espiritualidad, no hay maestro Zen o monje contemplativo que haya alcanzado una concentración tan perfecta de alma y cuerpo, una entrega tan perfecta a un solo pensamiento, a un solo objeto. El gato lo logra con innata facilidad. Estatua inmóvil en acecho viviente. Y de repente salta. El ojo humano apenas puede seguir el arco de relámpago, el vuelo instantáneo, la caída silenciosa sobre la presa incauta. El ratón queda inmóvil en el abrazo de uñas de hierro. Comida del día. Y vuelta a descansar con el estómago satisfecho. Eso es tomar la vida como viene. Plenitud en cada instante. Sabiduría práctica del vivir día a día, minuto a minuto sin la esclavitud del horario fijo. Los gatos no llevan reloj.

Dicen que los gatos tienen siete vidas. Pueden caer de una buena altura sin hacerse daño, mientras que un hombre que hiciera lo mismo necesitaría una ambulancia o un ataúd. Cuando yo estudiaba matemáticas, recuerdo haber tratado el problema del gato a fuerza de ecuaciones para justificar el secreto de su caída. Algo tenía que ver con el centro de gravedad, que, al doblarse espontáneamente la cabeza y las piernas, se baja, equilibra masas, les da la vuelta y prepara el aterrizaje sobre las almohadillas de los pies y los muelles orgánicos con suavidad auténticamente felina. Un hombre, al caer por el aire, se pondría tenso, apretaría los dientes, forzaría los músculos, perdería el equilibrio... y aterrizaría violentamente para convertirse en un montón de huesos. Hemos perdido los instintos que habrían de protegernos en el cuerpo y en el alma. Los gatos llevan una vida sana. Al andar demuestran la armonía del cuerpo, cada miembro independiente y al mismo tiempo consciente de todos los demás, en unidad de movimiento y acción. Muy distinto de la rigidez y pesadez que afligen a los hombres y los cargan de achaques. Los gatos no tienen artritis.

Me he referido ya a las alturas del monte Abu, refugio privilegiado de animales salvajes en tierra y aire, y de humanos menos salvajes, como yo, a quienes gusta recobrar el equilibrio animal de la vida en comunión cercana con la naturaleza. *Mej-Shila,* detrás de *Shantishikhar,* es un vertiginoso despeñadero donde una roca, lisa y horizontal como una mesa, corona en majestad hierática el abismo vertical de cientos de metros hasta las llanuras al fondo. Es una plataforma favorita de los buitres y las águilas, que vienen a descansar en ella de sus espirales azules sobre horizontes sin fin. Siempre hay algunas de estas aves señoriales a la vista, surcando los vientos con la maestría de sus largas alas. Y yo me dedico a contemplarlos, tumbado sobre su roca, con la cabeza sobre el abismo, los ojos a la altura de su vuelo, tan cerca que puedo contar las plumas de sus alas y notar la mirada ofendida con que rechazan mi presencia intrusa en su reino exclusivo. ¿Qué estoy yo haciendo allí, tumbado sobre su roca privada? Estoy aprendiendo de ellas. También yo quiero cabalgar sobre los vientos y sobre la vida. Quiero su paz y su dominio. Quiero su serenidad y su control. Quiero para mí la hermandad de los cielos junto con esos maestros del vuelo espontáneo.

Criaturas en libertad. Facilidad con alas. Naturaleza viva. Sin ningún movimiento, sin esfuerzo, sin ruido. ¿Cómo se las arreglan? ¿Cómo pueden ascender tan alto sin mover un ala? ¿Cómo cruzan los cielos sin doblar una pluma? Aquí llega una, cerca de mi cara, un águila en pleno vuelo con las alas extendidas, las patas invisibles contra el cuerpo, la cola fija en el viento, el ágil cuello girando rápidamente a derecha e izquierda para que su mirada infalible reconozca el terreno allá abajo con exactitud pitagórica. Se eleva ante mí majestuosamente, quedando su cuerpo ingrávido inmóvil en el aire. ¿Cómo lo hace? ¿Cómo desafía a la ley de gravedad ¿Cómo se remonta sin esfuerzo? Ya sé su secreto. El ave y la naturaleza se hacen una misma cosa. El águila se integra en el cosmos. Conoce los vientos y las corrientes y las ráfagas de aire caliente y los remolinos de niebla en el trópico ardiente. Conoce el momento y salta al vacío. El aire humano la sostiene. Ella, con las puntas de las alas, dobla ligeramente el timón de sus plumas y elige su ruta. Fíate del viento y subirás. Fíate de la naturaleza y llegarás alto, muy alto. Haz girar una pluma y dominarás el espacio.

Ser una misma cosa con las mareas y las estaciones, con el viento y el mar. Entrar en pacto de amistad con nuestros sentidos, que son nuestros embajadores natos ante la corte de la creación. Reconciliar el cuerpo, en gesto adamítico, con el barro de donde salió. Fiarnos de nuestros instintos y seguir sus secretas indicaciones. Dejar que los vientos de la gracia dirijan nuestro vuelo sin la rémora de la incredulidad. Relajarse, aceptar, disfrutar. Saber que la vida es amiga y el universo es nuestra casa. Sentir la totalidad de la creación en la unidad de nuestros miembros. Entonces se extenderán nuestras alas y se deslizará alegre nuestra vida. El universo entero queda bajo nuestra mirada.

Y, por fin, el pez. Vida en el océano. Conciencia transparente. Existencia dúctil. Espontaneidad inmediata en tres dimensiones. Todo él es una atención única en todas direcciones para protegerse de cualquier ataque personal y para alimentarse con la única comida rápida que se le brinda. El pez necesita estar alerta para vivir. Cualquier distracción es la muerte. Si falla, pierde su comida o entrega su vida. Su primera regla de conducta y su primer seguro de vida es la reacción inmediata ante cualquier estímulo. Un golpe de cola, y se enfrenta a su víctima; un cambio de ángulo en la aleta, y ha esquivado a un perseguidor. Libertad de movimientos y capacidad de flotar indefinidamente a cualquier profundidad en las aguas sin límite. La elegancia de su curvatura. La unidad de movimientos en su porte ingrávido. Ballet acuático de música callada. Danza eterna del incansable mar.

Segismundo, en *La vida es sueño,* sentía ya envidia por el pez y su libertad en versos de nostalgia:

«Nace el pez que no respira,
aborto de ovas y lamas,
y apenas bajel de escamas
sobre las ondas se mira,
cuando a todas partes gira,
midiendo la inmensidad
de tanta capacidad
como le da el centro frío;
¿y yo, con más albedrío,
tengo menos libertad?»

Los hindúes dicen que los dioses tienen ojos de pez. El ojo que está siempre abierto, siempre vigilando, nunca dormido. El ojo que ve en la oscuridad y tienta las profundidades. La perfección esférica de la visión global. Así es como ven los dioses, y así es como los hombres también están llamados a ver, si abren los ojos y limpian la mente y miran sin prejuicio y entienden sin miedo. Vigilancia perpetua en las corrientes del espíritu.

Un psiquiatra habla de un colega suyo que cura a sus pacientes mandándoles que miren largos ratos una pecera con peces. Las vueltas y revueltas de los despreocupados pececillos de colores ayudaban, por lo visto, al enfermo a distenderse, relajarse, olvidarse de sus problemas y encontrar la paz en el mundo en miniatura de la pecera. Sólo sospecho que quien quizá se volviera loco fuera el pez, al ver todo el rato al hombre que lo miraba fijamente por prescripción médica. Alguien ha hecho un estudio para medir el daño que los dueños de animales domésticos causan a éstos con sus propias tensiones y neurosis. Ya va siendo hora de que algún fervoroso ecologista la emprenda con los nerviosos dueños de animales inocentes y les pida compensación. El ibis rojo de Venezuela se vuelve gris en cautividad entre hombres. ¿Quién le devolverá el color?

Aves y peces, gatos y perros. Animales de todo tipo en los anchos pastos de la naturaleza abierta. Compañeros del libre vivir. Maestros del instinto. Modelos de conducta directa en un mundo torcido. Tenemos una deuda ecológica que pagar a nuestros compañeros de planeta por la lección silenciosa que nos dan con sus limpios sentidos y sus reacciones vírgenes. Hermanos pequeños que nos ayudan a integrar nuestras vidas en la cercana naturaleza a la que ellos dan cuerpo ante nosotros día a día; a aprender de ellos a ser lo que somos, sin pretender ser otra cosa. «¡Qué absurdo sería si un elefante, cansado de patear la tierra, quisiera volar, comer conejos y poner huevos como un águila! ¡Dejadle eso al hombre: tratar de ser lo que no es!» (Fritz Perls). Podemos aprender de ellos a ser lo que somos, con la totalidad de nuestras posibilidades llevada al máximo, en la entrega generosa a cada momento de nuestra existencia. Sabiduría animal en cuerpo humano.

Teniendo a un millar de maestros dispuestos a enseñarnos con la alegría de su arte y el calor de su presencia, ¿cómo es que nos cuesta tanto aprender?

LA SANDALIA ROTA

Los grandes enemigos del «ser» son el «hacer» y el «tener». Al hombre se le juzga, no por lo que es, sino por lo que hace o lo que tiene, sus actividades o sus posesiones, sus éxitos o su cuenta corriente. De ahí la tentación que me acecha de adquirir, de hacer, de demostrar, de impresionar al mundo entero con lo que hago y con lo que atesoro, ya sea oro y plata en el banco, o ideas y conceptos en la mente o, mejor —porque eso es lo que más se cotiza—, planes para reformar mi vida y salvar a la humanidad. Entonces se apodera de mí la prisa por actuar y poseer, conseguir triunfos y alcanzar plusmarcas, hasta el punto de que me olvido de mí mismo y no pienso más que en conseguir mejores resultados y llegar más lejos. Me consagro de tal modo al «hacer» y «poseer» que no me queda tiempo para «ser».

Cuando a la gente se le pregunta quién es, la mayor parte contesta con lo que hace: Soy doctor, estudiante, oficinista, enfermera... ¿Quién es usted? Trabajo en un banco. Y peor aún: ¿Quién es usted? Estoy retirado. ¿Retirado de qué? ¿De la vida? Mientras estás vivo, existes con pleno derecho; pero la persona ha quedado identificada de tal manera con su trabajo que, al dejar el trabajo, parece que la vida se acaba, y uno es, sencilla y tristemente, un jubilado. Es verdad que no es fácil dar una respuesta profunda a la pregunta «¿quién es usted?»; pero, sin meternos en filosofías, debería ser posible identificarnos sin tener que recurrir a una etiqueta de oficina o una tarjeta de visita. Los que de veras me conocen deberían conocerme no por mi trabajo, ni siquiera por mis ideas, y mucho menos por mis logros externos, sino por mi propia personalidad. Yo tenía un profesor viejo que no podía acordarse nunca del nombre de ninguno de sus alumnos, pero nos solía decir con sentimiento y con verdad: «Yo no los conozco por sus caras, pero los conozco por sus almas». Nos conocía bastante mejor que otros profesores que podían recitar la lista entera de nombres de memoria.

Una vez oí decir a un anciano con desmayo en la voz y tristeza en el rostro: «No he hecho nada en la vida». Había vivido entre gigantes que se habían distinguido en empresas admirables en las fronteras de la fe, mientras que él había desempeñado toda su vida cargos de oficina sin publicidad ni protagonismo alguno. A lo largo de su vida se había adentrado en muchas vidas y había aligerado las cargas de muchos corazones con su alegre carácter y su profunda fe, pero esas hazañas no contaban ante el público y no quedaron inscritas en las crónicas oficiales de su tiempo. El no había hecho nada. Y, como no había hecho nada, no era nadie. No había resultados y, por consiguiente, no había persona. Y, sin embargo, aquel anciano era un gran hombre que, con su fidelidad y competencia, había ayudado a llevar adelante instituciones importantes en tiempos difíciles. Luego había sido víctima él mismo del sofisma universal que mide la dignidad de un hombre por sus éxitos, y se despreciaba con triste pesar. Quizá sea la frase más triste que puede salir de los labios de un hombre en su ancianidad: «No he hecho nada en la vida»; y triste, sobre todo, por ser falsa. Toda vida de hombre deja marca, si él sabe verla.

Shri Nisargadatta Maháraj era un alma iluminada de la India moderna; y, sin embargo, todo lo que tenía era un pequeño estanco en un suburbio de Bombay, y todo lo que hizo de profesión o negocio fue vender cigarrillos baratos. Todo un empleo. A pesar de ese humilde exterior, él «era» un gran santo, y la colección impresa de sus conversaciones espirituales lleva el significativo título de *«Yo soy»*. Una cita: «Nunca me preocupa el futuro. Si me fío de mí mismo, me encuentro con que la reacción justa ante cualquier situación me nace de dentro. No me pongo a pensar qué es lo que tengo que hacer; sencillamente, me pongo a hacerlo y me sale. Los resultados no me importan. Me da lo mismo que sean buenos o malos. De todos modos, son lo que son. Si me son contrarios, vuelvo a empezar. Mis acciones nunca llevan el sentido de tender a un fin. Las cosas pasan como pasan; no soy yo quien las produzco, sino que ellas salen como resultado de lo que yo soy».

Para revaluar el «yo soy» frente al «yo hago» y «yo tengo», un camino importante es el desprendimiento. Seguiré trabajando lo mismo que antes y haré todo lo que tenga que hacer, sea en la oficina, sea en casa; pero ya no dependo del resultado de mis acciones para medir el valor de mi vida. Sé usar las cosas que me vienen a mano, y sé pasarme sin ellas cuando no se presentan. Libertad interior de trabas externas. Libertad para usar y libertad para prescindir. Actitud ésta que es una gran ayuda para atravesar la vida con paz en el alma y alegría en el corazón para tomar lo que viene y dejar que se marche a lo que se marcha. Así crece la persona y así se valoriza la vida.

Una vez fui testigo silencioso de una bella escena, tanto más emotiva cuanto que fue totalmente inesperada. Me hizo vivir, por unos instantes agradecidos, una parábola viva del desprendimiento y libertad interna en las vicisitudes diarias de la vida. Había salido yo a dar el diario paseo madrugador por los terrenos de la universidad junto a nuestra casa. Un buen número de personas, adoradoras del aire limpio, andaban, marchaban, corrían a esa hora temprana por céspedes y veredas, en culto hipocrático al cuerpo y su bienestar. Otros había que no caminaban por placer o salud, sino por llegar temprano a su trabajo, asalariados mañaneros en una sociedad que los necesita. De estos últimos sería una mujercilla que andaba ligera, a cierta distancia delante de mí, con pasos iguales y dirección fija, sin duda a tomar el autobús para trasladarse a su lugar de trabajo. Noté su porte humilde, su vestido sencillo, su paso decidido. Desde luego que no estaba allí para hacer ejercicio, sino por pura necesidad laboral. Seguía hacia adelante, y yo la seguía con la vista, cuando de repente se paró. Se inclinó y se sacó la sandalia del pie derecho. La sandalia de goma barata con dos tiras por encima que lleva casi todo el mundo en la India, sin medias ni calcetines. Le dio vueltas en la mano y trató de arreglarla. La tira de arriba se había roto, y no había manera de sujetar la sandalia en el pie. Pequeña catástrofe matutina. Molesto accidente al ir al trabajo a comenzar el día. Mala suerte. ¿Qué haría ella ahora? La observé. Primero se aseguró de que la sandalia ya no servía para nada, y la dejó suavemente a un lado en el camino. Después se quitó la otra sandalia, inútil ahora tras la retirada de su compañera, y la dejó cuidadosamente en el suelo al lado de la otra, reliquia paralela del tropiezo inesperado en el camino. Luego hizo una ligera inclinación reverente, como para despedirse del calzado que abandonaba, y continuó su camino descalza en la misma dirección y con el mismo paso.

Yo me paré y reflexioné. Si ese accidente me hubiera ocurrido a mí, o a muchas otras personas que yo conozco, me habría molestado, me habría enfadado, habría maldecido al zapatero que me vendió la sandalia, la habría arrojado con rabia y habría vuelto a casa cojeando, furioso conmigo mismo y con el mundo entero. No hay derecho a que lo dejen a uno descalzo en un camino pedregoso a primera hora de la mañana como comienzo gafado de un día negro. Yo habría pasado, decididamente, un mal rato. Pero no así la mujercita de mi episodio. Ella estuvo digna, tranquila, resignada. No hizo un movimiento brusco ni pronunció una palabra en voz alta. Vio la situación, la examinó y obró en consecuencia. Y allí quedaba como imagen y modelo de desprendimiento práctico. Cuando tenía las sandalias, anduvo con ellas; y cuando las perdió, anduvo descalza. Sabía usarlas cuando las tenía y pasarse sin ellas cuando se le iban. Dispuesta a andar con sandalias o sin ellas. Gesto de libertad. Lección de realismo. Tómalo cuando viene, y déjalo cuando se va. Aquella mujer no conocía la cita bíblica, pero la puso en práctica sin saberla: «El Señor me lo dio y el Señor me lo quitó; bendito sea su santo nombre». Esa fue la lección práctica que dictaban aquellas dos sandalias parejas abandonadas al lado del camino en el polvo de la mañana. Cuando la mujer se perdió de vista, yo me acerqué al lugar y permanecí un rato de pie, contemplando la escena y dejándome penetrar por ella y por su significado. Luego yo también, como había hecho ella, me incliné ligeramente ante las sandalias pedagógicas. Las saludé y me alejé despacio. El paseo de la mañana había dado fruto.

LA EDAD DE ORO

Cuando escribo sobre «vivir en el presente», me refiero a este momento actual de mi vida, que he de vivir en toda su bendita intensidad una vez que queda despejado del peso del pasado y la sombra del futuro y brilla con su propio y exclusivo resplandor. Sólo ahora en el límite exacto de este capítulo, amplío el sentido de «presente» al tiempo presente, a la edad moderna, a los tiempos en que vivimos, al presente de la humanidad en su larga historia, presente colectivo que también queda cercado por el pasado y el futuro del género humano, del mismo modo que el presente del individuo queda entre su pasado y su futuro personales. Por eso el fenómeno es el mismo. Así como el individuo se pierde el presente a fuerza de añorar el pasado y temer el futuro, así también la sociedad falta a la cita con el presente por recordar el pasado y soñar con el futuro. Si hemos de vivir en nuestro tiempo, haremos bien en reconciliarnos con la situación presente tal como es, no como era antes o debería ser después, y sacarle todo el fruto posible con fe concreta y humildad práctica. Esa es la manera de disfrutar de la vida. Por desgracia, es poco conocida y menos practicada.

Según la mitología hindú, vivimos en la peor de todas las edades. Se llama *Kaliyuga,* y es la edad oscura en que la vida del hombre se acorta, su estatura física disminuye, la verdad se oculta y la virtud desaparece, mientras el vicio triunfa y acelera la catástrofe universal que acaba con el hombre y con el cosmos. El único consuelo es que el proceso es cíclico y, después de la destrucción, comenzamos otra vez de nuevo con la mejor de las edades, *Satyayuga,* la edad de la Verdad y del puro Ser *(Sat),* que irá otra vez degenerando, poco a poco, hasta una nueva edad negra y otra destrucción. De modo que estamos en el peor momento estelar, hijos de la era triste en que todo son desgracias. Y eso no sólo es mitología hindú, sino creencia práctica universal. ¡Qué bien estábamos antes! ¡Qué seguridad, qué tranquilidd, qué estabilidad y qué paz! ¡Qué bien lo pasábamos sin las preocupaciones de ahora! Cualqier tiempo pasado fue mejor... Es enfermedad antigua del género humano, y sigue sin trazas de curarse. El pasado fue glorioso, y el presente intolerable. Todas las edades de oro en todos los pueblos del mundo son edades del pasado, mientras que la edad presente, la moderna, la contemporánea, es siempre la peor en la memoria de la humanidad. Es un pesimismo histórico que nos ciega ante los méritos y las luces de nuestra propia edad. La condenamos sin juicio. Y nosotros somos los que salimos perdiendo.

Es hora de decir algo en defensa de nuestra poco entendida y menos apreciada edad. Es verdad que muchas cosas que queríamos y disfrutábamos han desaparecido, y su pérdida aviva nuestros recuerdos nostálgicos. Han pasado a la historia aquellos tiempos en que las cosas eran claras y definidas; en que lo blanco era blanco y lo negro era negro, y todo el mundo lo sabía y encarecía lo bueno y condenaba lo malo; en que la violencia no formaba parte del vocabulario y las caras enmascaradas del terrorismo internacional no aparecían en nuestras urbes ni amenazaban nuestra precaria existencia. Tiempos aquellos de paz general y satisfacción razonable, de precios fijos y seguridad económica, de principios morales y fe profesada en público y practicada en privado. Mucho de eso ha desaparecido, y en su lugar han venido la inseguridad y la inflación, dudas en la doctrina y fallos en la moral, bombas en nuestras calles y escándalos en nuestros corazones. Y este cambio ha tenido lugar en nuestros días y ante nuestros ojos, en el breve tiempo de unos años de nuestra acelerada historia. Conocíamos la estabilidad de antes, no de oídas, sino por experiencia, y nos encontramos ahora arrojados en medio de un torbellino que no esperábamos y para el que no estábamos preparados. Todo ha quedado sacudido, y estamos atónitos en mitad de un mundo de ruinas en el que no sabemos qué hacer. La edad en que vivimos nos desconcierta; y cuando nos dicen, no sin razón, que la catástrofe es obra nuestra, nos deprimimos aún más al sentirnos causa, por más que inconsciente, de la crisis de hoy.

Todo eso es verdad; y, sin embargo, con la perspectiva adecuada, cada edad es tan válida como cualquier otra; cada una tiene sus características mejores o peores, y su individualidad, en la que es única y valiosa e irrepetible; y la edad presente, como todas las demás edades pasadas y por venir, tiene pleno derecho a ocupar un puesto de honor en los anales de la historia. Mucho ha desaparecido, sí, pero bien desaparecido está si había de desaparecer. La vida se mueve, las cosas cambian, el hombre progresa. Viejas costumbres han desaparecido, pero han surgido nuevos retos. La incertidumbre que vivimos no es peor disciplina que las certezas del pasado, y el riesgo puede ser más vital que la seguridad. Si no levamos anclas, el buque no zarpará. Si no dejamos que viejas estructuras se derrumben, no podremos edificar otras nuevas ni podremos, cosa que es mucho más importante e interesante, aprender a vivir sin estructuras o, al menos, sin tantas estructuras como nos cobijaban antes. Hay que dejar caer a lo que quiere caerse, hay que dejar que las cosas sigan su curso y se limpien rincones y se haga sitio para nuevas construcciones y nuevas ideas y nueva vida.

Bernhard Häring dirigió al Señor una plegaria inspirada y plenamente contemporánea: «Te alabamos y te damos gracias, Señor de la Iglesia y Redentor del mundo, por habernos concedido el privilegio de vivir en esta gran y difícil edad. Te damos gracias por el terremoto que ha sacudido nuestra somnolencia y nuestra pereza. Te damos gracias por haber acabado con nuestro fariseísmo y nuestra tolerancia de la mediocridad. Te damos gracias por el dolor del crecer y la tensión de la vida, por las nuevas y nunca soñadas oportunidades de dar testimonio de ti, el Dios vivo y el Hermano de todos los hombres. Señor, haznos firmes y alegres en fe, esperanza y amor. Enséñanos a leer correctamente los signos de estos tiempos de salvación, para que crezcamos en madurez y franqueza. Danos fuerza y sabiduría para aceptar los riesgos de una plena vida cristiana. John A. T. Robinson aplica a la fe y a la conducta la expresión de las ciencias físicas sobre «el fin del estado estable», y dice con convicción y humildad: «Creo que la división más profunda hoy en la Iglesia está entre los que básicamente aceptan (e incluso aclaman) el fin del estado estable (por penoso que sea) y los que lo niegan o lo rechazan. Yo, por mi parte, soy de los que, con temor y temblor, doy la bienvenida al fin del estado estable». Y él mismo cita a Mónica Furlong en sus valientes palabras llenas de fe: «La mejor noticia para un cristiano hoy es la baja de la religión organizada. No puedo imaginar tiempo en que haya sido más glorioso ser cristiano, a no ser, quizá, en los primeros siglos de la Iglesia. Porque, aunque es verdad que el gran holocausto está barriendo muchas cosas que eran bellas y todo lo que era seguro y cómodo e incuestionable, nos está librando también de montones de accesorios secundarios, y el sentido de liberación es indecible. Libres de toca carga inútil, volveremos a ser casi como los primeros cristianos, que pintaban sus símbolos primitivos en las paredes de las catacumbas —el pez, la viña, los panes, la cruz, el monograma de Cristo— con la confianza de que, haciendo eso, habían expresado lo esencial de la vida».

El aire vuelve a oler a catacumba y martirio; el pueblo de Dios vuelve a estar en minoría; la fe bautismal ya no puede darse por supuesta; y hacer la señal de la cruz es una aventura. ¿Qué puede ser más grato, más alentador, más vigorizante para un corazón con fe que esa actitud primigenia de primera Iglesia ante una vida nueva? Se acabó la rutina sabida y protegida de una edad pasada en la que cada día era como el anterior, cada situación estaba prevista, y cada respuesta formulada antes de que surgiera la pregunta. Fue una gran edad a su manera, como la nuestra lo es también a la suya, si es que tenemos ojos para verlo y valor para aceptarlo. La velocidad de la vida ha aumentado, la comunicación es instantánea, los problemas se multiplican antes de que se hallen las respuestas, y nadie sabe adónde vamos a ir a parar. El mismo reto valoriza la respuesta humana, la energía vital, la capacidad de enfrentarse con la vida en toda su inesperada variedad y su creciente inseguridad. Hemos sido llamados a vivir la vida más profundamente, precisamente porque se nos ofrecen más maneras de vivirla.

Amar la edad en la que vivimos, sentirse orgullosos de pertenecer a ella, sentirse a gusto en ella: he ahí el gran secreto de la paz interior y la satisfacción sincera. Amar a nuestro planeta tal como es, con sus tormentas y terremotos, su frío y su calor, sus tierras y sus mares. Amar el entorno de campo y selva, de desierto y montaña, de aire y sol. Amar a nuestras ciudades, víctimas calumniadas de la civilización moderna, condenadas a ser maldecidas por los mismos hombres que las construyen. ¿Cómo podemos ser felices si hablamos mal de nuestra casa, despreciamos nuestro entorno y acusamos al aire que respiramos? Luchemos, sí, por encima de todo, para limpiar nuestras calles, acallar el tráfico, proteger los mares y purificar la atmósfera; pero, al mismo tiempo, disfrutemos ya de lo que tenemos, sin dejar de trabajar por mejorarlo. No insultemos al aire que respiramos, sólo porque esperamos tener un aire más limpio en el futuro. ¿Cómo puedo estar en paz conmigo mismo si desprecio y castigo al aire mismo que llena en cada respiración mis pulmones para darme vida? ¿Cómo puedo tener el alma en paz si rechazo los sonidos que oigo, las calles por las que ando, la casa en que vivo? No volveré a odiar jamás en mi vida ni a hombre ni a naturaleza, ni a viento ni a lluvia, ni a frío ni a calor, ni a ruido ni a polvo. Amo y amaré siempre la ciudad en que vivo y los caminos que ando, la tierra y el agua, sonidos y olores, la presencia del hombre y la naturaleza. Amo, sobre todo, el aire que respiro, sea cual sea su composición química, que dejo a los sabios que la determinen y a los cuerdos que la mejoren. Amo todo lo que me rodea, todo lo que entra en mí por mis sentidos, todo lo que toca mi piel e invita a mi amistad. Acepto mi entorno tal y como es, protejo mis sentidos como mejor puedo, y luego los dejo en libertad en un mundo de sonido y olor y gusto y velocidad, para que disfruten todo lo que les ofrece una realidad material, imperfecta en sí misma, pero también llena de color y de vida. El deseo de mejorar el futuro no ha de robarme la capacidad de disfrutar el presente, ni en mi vida de individuo privado ni en mi responsabilidad cósmica como habitante de este planeta. Vivimos en una era magnífica y en un lugar magnífico, y el orgullo y el placer de vivir donde vivimos y cuando vivimos es la mejor manera de apreciar los valores auténticos de la vida y del cosmos y de llevarlos a la práctica en nuestras vidas, en nuestro trato social y en nuestra conducta ecológica.

Si vivimos en la peor de las edades *(Kaliyuga),* un gran sabio hindú también nos enseña que «para el hombre iluminado, todo instante es *Satyayuga* (la edad de oro)». Y noto en su dicho la palabra «instante». Es siempre el momento presente el que salva todos los obstáculos y borra todas las maldiciones y convierte dudas y temores en la alegría feliz de la vida vivida de frente. El culto del presente, en la vida, en la sociedad y en la historia, es siempre el camino seguro de paz y de gozo.

EL SACRAMENTO DEL MOMENTO PRESENTE

Vivir en el presente no es tan fácil como parece. Paradójicamente, cuesta una vida entera aprender el valor de un día, y hacen falta muchas horas para lograr concentrarse en un solo instante. Es el difícil arte de estar plenamente donde estoy y plenamente dispuesto, al mismo tiempo, a pasar a la próxima situación en cuanto se presente. Entrega y desprendimiento. Entrada y salida. Las raíces del roble y las alas del águila. Dispuestos a permanecer cuanto haga falta y dispuestos a volar en cuanto la vida se mueva y la creación siga su curso. Tan fácil de decir. Y tan difícil de poner en práctica. Quien lo haya intentado sabe lo que digo.

Cuando yo tenía quince años, oí un sermón en la iglesia que se me quedó grabado en la memoria para siempre. El predicador describió la carga imposible que todos arrastramos a lo largo de nuestras vidas con el remordimiento y la nostalgia de los días que pasaron y los miedos y preocupaciones de los que vendrán, y luego nos exhortó con elocuencia convincente a que descubriéramos el «sacramento del momento presente», a que confiáramos nuestro pasado a la misericordia de Dios y nuestro futuro a su providencia, y viviéramos plenamente en el presente sin preocupación de ninguna clase. Muchos sermones oí yo en mi juventud, y todos ellos han quedado totalmente olvidados. Sólo éste debió de tocar una fibra sensible de mi ser, porque nunca olvidé su lección práctica y concreta que prometía paz del alma y equilibrio de carácter.

Era todo claro y tan sencillo… Ahí tenía yo, al comienzo de mi carrera responsable en la vida, una breve fórmula, un mensaje providencial para dirigir desde el primer momento mi entusiasmo por los caminos del espíritu con seguro consejo y protección leal. Vivir el presente. El camino de la salud y la fe, el secreto amigo, la dirección segura. Mi mente joven se había apoderado de la idea con determinación radical, y mi alegre impaciencia se veía ya llevando a cabo el programa definitivo con fidelidad absoluta en estudios y oración, en conducta y en vida. Me consideraba dichoso por haber recibido tan temprano en la vida aquella fórmula de salvación que había de transformarme desde entonces. Lo veía con toda claridad. Lo haría sin falta.

Sí, lo veía y lo seguí viendo. La idea era clara y concreta. Y en idea se quedó. Bien clara y bien concreta… y bien aislada en la teoría de los ideales. Nunca se acercó a los terrenos arables de la práctica. Pasaron los años, y el pasado y el futuro seguían cabalgando sobre mi mente como tiranos sin piedad que ahogaban mis esfuerzos y desperdigaban las tramas de mi espíritu a los cuatro vientos de la inestabilidad emocional. El bello sermón de juventud quedaba sólo como recuerdo nostálgico en mi vida. El plan aún me atraía y me ilusionaba, pero todos mis repetidos esfuerzos y firmes propósitos no consiguieron llevarlo a la práctica. No era fácil vivir en el presente.

Pasó el tiempo, y llegó el día en que fue a mí a quien me tocó echar sermones y escribir libros. Era la hora de confiar a otros la valiosa fórmula de vida… sin haberla dominado yo mismo. En el primer libro que publiqué en la India y en lengua gujarati, libro que era guía práctica de juventud con mi experiencia enfocada a su nivel, incluí un capítulo entero sobre «el sacramento del momento presente», con las ideas que yo había recibido de joven y la convicción que aún me acompañaba de que eran consejo seguro de vida firme.

Fueron muchos los jóvenes lectores que me dijeron que aquel capítulo era el que más les había gustado, que habían encontrado en él la clave de una vida sana y feliz, y que estaban seguros de que esa sola práctica iba a cambiar su vida. Yo leía sus cartas y me acordaba de mi propia experiencia. Tenían razón aquellos jóvenes, como yo la había tenido cuando era como ellos. Y ya aprenderían como yo aprendí. La lección nunca es inútil del todo. Algo se aprende siempre. La simiente fructifica a su ritmo, y algunas plantas tardan en crecer.

Pasaron más años, y he vuelto a querer escribir ahora, no ya un capítulo, sino un libro entero, que es éste, sobre el tema clave. Vivir el presente. Liberarse de miedos y condicionamientos para llegar a ser uno mismo día a día, en creación renovada. Es mi ascesis personal. La disciplina de escribir un libro para activar los recursos de mi propio vivir. La idea base expresada de nuevas maneras, a través de historias y experiencias, de deseo y contemplación, de amor y de fe. Allí está ante mis ojos, clara como la estrella polar en noche abierta, perfecta como un teorena de Euclides. La forma exacta de la vida en la tierra. El culto a la realidad. El estremecimiento vital del momento presente. Tan sencillo y tan distante. La llamada lejana. La búsqueda sin fin.

¿Hay algún método? Krishnamurti se pasó la vida contestando a esa pregunta que sus oyentes le hacían una y otra vez, y su respuesta era siempre la misma, con el mismo énfasis y el mismo paciente enfado: «Señor, no hay método». Y Euclides también le contestó al rey Ptolomeo, que quería que le enseñase geometría, pero de manera breve, como convenía a sus reales prisas: «Majestad, para la geometría no hay atajos». No hay atajos para las cosas que de verdad valen en la vida. No hay fórmulas mágicas, no hay remedios infalibles, no hay revelaciones instantáneas. Angosto es el camino y estrecha es la puerta. Si hubiera atajos, la meta no merecería la pena. El camino es largo y la noche oscura. El paso dudoso, las caídas frecuentes, el terco desánimo, la esperanza súbita, el destello deslumbrador, la celebración anticipada, la nueva subida, el esfuerzo repetido, la confianza íntima, la alegría, el miedo, la larga paciencia en prueba de fe… ¿Quién puede describir el camino de la mayor aventura del hombre sobre la tierra, la determinación de ser él mismo, de encontrar su rostro, desafiar su destino, encontrar su alma con la determinación intrépida que lo llena de valor hasta la muerte, y de fe más allá de la muerte, hasta la otra vertiente de la eternidad, en la presencia misma del Padre que lo creó a su imagen y semejanza y que es el único que puede darle la gracia de llegar a descubrir su divina identidad en el espejo de la fe? Nada hay que pueda reemplazar a la entrega personal a la fe y a la verdad en la presencia de ángeles que contemplan y rezan. ¿No se colocó al hombre justo por debajo de los ángeles, tocando el borde de sus alas?

Un par de anécdotas para aliviar la tensión del fervor apasionado en la búsqueda vital de la última identidad.

Después de muchos años de humilde aprendizaje espiritual en disciplina y obediencia, el impaciente y frustrado discípulo le preguntó al maestro: «Hace años sin cuento que os he servido con toda fidelidad en busca de la sabiduría y la salvación; he hecho todo lo que me habéis dicho y he aprendido todo lo que me habéis enseñado; y, sin embargo, no he adelantado nada y no me habéis descubierto el secreto de la iluminación. ¿A qué esperáis?» El maestro respondió: «Estaba esperando a que me hicieras esa pregunta». Y las cosas siguieron exactamente como hasta entonces.

Un impaciente buscador del espíritu no pudo ya contenerse, consiguió la dirección de un afamado maestro, se presentó en su casa y pidió, sin más ceremonias, que le enseñara el camino de la iluminación del alma. Ésta es la respuesta que obtuvo: «He de decirte tres cosas. Primera: Estás en este momento tan excitado que no serías capaz de entender nada que yo te explicara ahora. Segunda: Me estás pisando el dedo gordo del pie. Tercera: Te has equivocado de dirección; el maestro a quien buscas vive en la casa de al lado».

El método inglés para obtener un césped perfecto: preparar el terreno. Arrancar todas las raíces dañinas. Echar las semillas. Esparcir abono. Regar regularmente durante seiscientos años.

Este último método es el que más se acerca a la verdadera actitud para que florezcan los campos del alma. Espera. Siembra la semilla y descansa. Relájate. Observa. Ten todo presente en la mente. Estate siempre alerta, siempre despierto. No pierdas contacto. No abandones la escena. Visita el césped todos los días. Fíate de la naturaleza. Invita a la lluvia. Deja que el sol juegue con la hierba. La manera de vivir el presente, de ser uno mismo, de encontrar la realidad, de vivir la vida, de abrirse a la gracia, de preparar los caminos del Señor, es estar siempre atentos, lámpara en mano, pies en el suelo, la mirada sobre el horizonte y el corazón en las nubes. La virgen prudente. El siervo fiel. El amigo ferviente.

Observar mis propios pensamientos, descubrir las raíces de mis condicionamientos, el nacimiento de mis prejuicios, la formación de mis miedos. Observar, descubrir, levantar. Sacar a la luz todo lo que sucede en la oscuridad que hay dentro de mí. Hacer salir a la superficie consciente todo lo que ocurre en oculto subconsciente. Basta con saber, descubrir, sacar a luz. Nada de propósitos, reformas o violencias morales. La naturaleza es sabia y la gracia se nos concede con que nos abramos en la sencillez de saber dónde estamos y qué es lo que necesitamos. Por eso, vigila y observa. Día a día. Hora a hora. Toda la vida. El guardián bíblico que espía el primer rayo del sol naciente y deja que su luz le llene el alma con gratitud cósmica. Quien aprende a observarse a sí mismo se encuentra a sí mismo.

Las mayores aventuras del hombre sobre la tierra han sido descubrimientos. Un continente, una cumbre, un elemento químico, una estrella... El gran descubrimiento que nos aguarda a cada uno de nosotros, atrevido en su audacia y consolador en el premio, es el descubrimiento de nosotros mismos. Conocerme a mí mismo. Ser yo mismo. ¿Cuándo llegará el hombre, el gran descubridor, a descubrirse a sí mismo?

VOLVER A DESCUBRIR

El niño ha conseguido su juguete. El juguete que quería. El último y el más caro. Había visto el anuncio en televisión, había pedido, rogado, llorado y pataleado en casa hasta que su mamá capituló, su papá se resignó y fueron los tres a la tienda y compraron el juguete, y él volvió a casa abrazándolo como a un preciado tesoro. Se le dijo claramente que el juguete era caro y que con él se acababa el presupuesto de juguetes para todo el año, por lo cual ya no habría más juguetes en varios meses; y él entendió perfectamente el aviso y aceptó la condición, porque ése era el juguete que quería, y con tener ése ya no le importaban los demás. Llegó a casa, llamó a sus amigos y les enseñó con alegría y orgullo el juguete nuevo que todos envidiaban. Satisfacción feliz.

Así fue. Pero el entusiasmo no duró mucho. A los pocos días, uno de sus amigos que vivía en la casa de al lado consiguió también un juguete nuevo y vino a enseñárselo, y aún era algo más moderno y algo más caro, de modo que el juguete de nuestro primer niño pasó a segundo término, con lo que perdió todo su encanto. El niño perdió todo su interés en él, dejó de sacarlo ante sus amigos, dejó de jugar con él, y pronto el tesoro de ayer se convirtió en la basura de hoy. Amores de niño que duran poco, y caprichos que cambian al azar. El juguete ambicionado un día quedó descartado al siguiente. El niño se olvidó de él.

Su mamá trató de explicarle que el juguete seguía siendo un buen juguete, en algún aspecto incluso mejor que el del otro niño, que había costado mucho, y que ya no habría más juguetes en todo el año, de modo que más le valdría aceptar las cosas tal y como eran y volver a jugar con su juguete. Pero el niño no hizo caso, se enfurruñó, no quiso volver a saber nada de su juguete, y el pobre juguete, abandonado como una reina que fue favorita y hoy es rechazada, quedó olvidado en un rincón del cuarto. Triste capítulo.

La madre del niño tenía también su pequeño problema. Había conseguido tener una casa nueva. Ella misma había dirigido toda la construcción con gran interés y competencia y se había asegurado de que fuera una casa moderna y atractiva por dentro y por fuera, modelo de chalet en un barrio elegante. Había también un jardín alrededor de la casa, y ella había dibujado cada macizo y escogido cada planta. Cuando fueron a vivir en la nueva casa, invitó a amigos y vecinos a una fiesta, les enseñó la casa y les explicó con todo detalle por qué había puesto aquí esa ventana y por qué había orientado este cuarto en esa dirección. Y conservó el orgullo de ama de casa en el cuidado que tenía de ella, en la limpieza exquisita de todos los rincones y en el gusto del jardín que ella misma cuidaba con cariño.

Eso fue hasta que construyeron otra casa en el vecindario. No era muy distinta ni mucho mayor, pero quizá sí un poco más moderna y un poco más vistosa. Cuando se concluyó, los nuevos vecinos la invitaron también a ella a la fiesta que dieron para inaugurar su casa, y la nueva anfitriona les explicó con detalle el secreto de cada rincón y el emplazamiento de cada ventana. Y ella lo vio todo, lo apreció todo, lo alabó todo y, cuando llegó a su casa, ésta le pareció vulgar y corriente, perdió el interés que tenía en ella y ya no se ocupaba de ella y de su limpieza y adorno como antes.

Su marido notó su falta de interés por la casa que con tanta ilusión habían preparado los dos, averiguó la causa y trató de explicarle que porque la casa de los vecinos fuera mejor, la suya propia no dejaba de ser buena, incluso tenía cosas de mejor gusto; y que les había costado muchos trabajos y ahorros, y en todo caso no iban a construirse otra casa, así que lo mejor que podían hacer era tomar las cosas tal como eran y aprovecharse en todo lo posible de la casa y del jardín. Su mujer escuchó todo aquello en silencio, pero no hizo caso, se encogió de hombros, dio un suspiro de resignación y, sí, siguió viviendo en la misma casa, pero fue dejando que todo se deteriorase a ojos vistas. Ya no daba fiestas, y cuando venía alguien de visita no le enseñaba la casa ni le explicaba por qué había puesto allí una ventana o por qué había orientado así aquel cuarto. Y ya no se cuidaba del jardín.

El marido de esa mujer, el padre de ese niño tenía también su propio y delicado problema. Tenía a su mujer. Se había casado con ella hacía pocos años, y era una mujer atractiva y refinada en todos los aspectos. Inteligente, trabajadora, afectuosa, elegante. El se había enamorado de veras de ella, apreciaba del todo su valer, la llevaba a todas las fiestas de sociedad y se enorgullecía de presentársela a sus amigos y de aceptar alegre sus sinceros cumplidos. Presumía de esposa y decía con perdonable jactancia: «¡Somos la pareja más feliz del mundo!»

Eso fue hasta que sus amigos también se fueron casando y fueron presentándole a sus jóvenes esposas. Algunas eran mujeres muy completas, algunas tenían grandes cualidades de simpatía, belleza, talento. Y, al irlas conociendo y apreciando, comenzó a notar que su aprecio por su propia mujer iba bajando, su afecto se iba enfriando. No es que pasara nada, pero ella ahora le parecía ordinaria, poco interesante, aburrida. Y el cambio de sentimientos pronto comenzó a traducirse en cambio de conducta. Peligro doméstico.

Hizo lo posible por persuadirse a sí mismo de que aquella crisis no tenía razón de ser, que su mujer seguía siendo tan estupenda como siempre lo había sido, que en todo caso tenía que vivir toda su vida con ella, así es que lo mejor que podía hacer era tomar las cosas tal como eran, reconciliarse con los hechos y reavivar el afecto y el interés antes de que se hiciera demasiado tarde. Pero no lo consiguió. Sus relaciones mutuas fueron enfriándose, la distancia de alma a alma aumentó y, sí, seguían viviendo juntos, porque no tenían más remedio, pero ya apenas iban a fiestas de sociedad, el marido no tenía interés en presentarle su mujer a nadie, y no se le ocurría presumir de tener la mejor esposa del mundo. La tristeza había llegado a una familia de tres.

Un niño, una mujer, un hombre. Un juguete, una casa, una esposa. El entusiasmo, la prueba, la desilusión. ¿Será así como se porta siempre la vida?

Luego, un día, ese niño estaba solo en su cuarto cuando se fijó en el juguete abandonado, lleno de polvo en un rincón. Lo miró un buen rato, lo reconoció, lo tomó. Se aseguró antes de que nadie lo veía y lo levantó del suelo, sacudió el polvo, lo volvió a mirar con atención, cayó en la cuenta de que era un juguete muy bueno y merecía la pena jugar con él, se sonrió solo, en reconciliación silenciosa, y comenzó a jugar con él, primero poco a poco y luego con todo entusiasmo e interés. El no lo había notado, pero la puerta de su cuarto estaba abierta y su madre lo estaba observando con curiosidad, cariño y atención desde el cuarto contiguo. Ella había seguido todos sus gestos y había comprendido la importancia del momento. No dijo nada ni se movió, pues sabía muy bien que, si se metía en ese momento, lo echaría todo a perder; pero lo vio todo y lo entendió todo. Se sintió feliz al ver que el niño había hecho las paces con el juguete despreciado, y se sonrió en silencio.

Otro día, esa buena mujer estaba sentada sola en el cuarto de estar cuando miró a su alrededor y, de repente, cayó en la cuenta de la cantidad de polvo que tenían los muebles, de que la pintura de puertas y ventanas se despegaba a trozos, las paredes estaban arañadas y el jardín era un montón de hierbas salvajes. ¿Cómo pudo haber sucedido esto? Se levantó inmediatamente, comenzó a sacudir el polvo de las sillas, pasar el paño a las mesas, fregar los suelos, poner todo en orden, y luego salió al jardín a limpiar y arreglar y ordenar y adornar. El interés por su casa y su jardín había revivido en su interior, y ella había vuelto a ser el ama de casa inteligente y cuidadosa. En eso estaba cuando su marido regresaba de la oficina. El marido la vio desde lejos trabajando en el jardín y notó la transformación que se había efectuado. Entendió enseguida el significado de la escena y se alegró de él. Claro que no dijo una palabra, pues temía que, si decía algo, podía echarlo todo a perder; pero, al ver a su mujer reconciliada al fin con su casa y su jardín, se le alegró de veras el corazón.

Y, por fin, otro día, ya por la noche, cuando marido y mujer estaban en su cuarto leyendo tranquilamente, cada uno en su sillón, cada uno con sus pensamientos y con sus recuerdos, el marido miró a su mujer y de repente cayó en la cuenta de lo encantadora que era, de lo mucho que él la había amado y la seguía amando, de la tontería incomprensible de haberse distanciado de ella sin causa ninguna y por tanto tiempo. Y, como estaban solos, se levantó despacio, se acercó a ella, la tomó dulcemente en sus brazos, la atrajo hacia sí, y ambos, en mutua sorpresa y contenido fervor, renovaron la sagrada intimidad del primer amor. Y Dios los vio. Los vio desde lejos sin que ellos se apercibieran. Y no quiso decir nada para no distraerlos; pero, al ver que al fin se habían reconciliado los dos, Dios se sintió de veras muy feliz.

Un niño descubre su juguete; una mujer, su casa; un marido, a su mujer. ¿Cuándo, por fin, me descubriré yo a mí mismo?

DECIDME QUIÉN SOY

En un día trascendental de su existencia terrena, Jesús buscó a sus discípulos, se acercó a ellos en confianza e intimidad como nunca lo había hecho, y les hizo la pregunta que era misterio palpitante y aventura sagrada: «¿Quién decís que soy yo?» Jesús quería encontrarse a sí mismo reflejado en el amor y la comprensión de aquellos que durante tres años habían estado junto a él, habían escuchado todo lo que había dicho y predicado, habían observado todo lo que había hecho, testigos fieles de una vida abierta. Jesús quería encontrar en fe y en afecto la definición de su personalidad excelsa, escuchar en lenguaje humano la expresión de su ser divino, descubrir en rostros amigos los rasgos trascendentes de su faz eterna. Jesús buscaba el apoyo para su ««¿Quién soy yo?» en aquellos que lo conocían mejor y lo amaban más de cerca.

Con la misma confianza y mayor necesidad, nosotros también podemos buscar la reacción de Jesús a nuestra búsqueda de identidad y a nuestro esfuerzo para ser nosotros mismos. También nosotros podemos acercarnos a él con sinceridad abierta y con profunda reverencia y preguntarle en la íntima amistad de la oración personal: «Señor, ¿quién decís que soy yo?» Vos me conocéis mejor que yo mismo, vos me habéis hecho, me habéis acompañado toda la vida, conocéis mi historia y mi realidad, mis deseos y mis miedos, mis ideales y mis fallos, mis sueños y mis logros. Como sois vos quien me habéis hecho, yo quiero serlo de la manera más plena y entregada posible, para que vuestra obra sea completa y se manifieste vuestro arte en mi barro. Quiero ser yo mismo, porque vos me habéis hecho, y mi única manera de daros gloria es ser con toda mi alma lo que vos habéis querido que yo sea. Quiero llegar a saber eso; es decir, quiero llegar a conocerme para poder cincelar cada rasgo y matizar cada color en vuestra obra. Decidme, Señor, quién soy yo ante vuestra mirada, para que me esfuerce en serlo en mi vida.

La mejor manera de conocernos a nosotros mismos es en diálogo, y el diálogo más revelador es el diálogo con Dios en fe y entrega, en liturgia y oración. Frente a un Dios que es siempre eterno y siempre nuevo, recobramos nuestra novedad y nuestro presente y aprendemos, de quien en su ser infinito no se repite nunca, a reflejar en nuestro presente la plenitud de su eternidad.

Jesús mismo nos recordó el valor del momento presente en la vida de los hombres cuando nos exhortó a dejar nuestras preocupaciones al cuidado del Padre que está en el cielo, que sabe lo que necesitamos antes de que se lo pidamos, que se ocupa de nosotros más aún que de las flores y los pájaros, que proveerá a todas nuestras carencias de alma y cuerpo con cariño eficiente y delicadeza amorosa. «Al día le basta con su tarea» es la fórmula fundamental para la paz del alma que él proclamó desde lo alto del Monte. El día. El momento. Paso a paso. El hoy en toda su plenitud. Nada de ayer ni de mañana. Acaba con el peso del pasado y las nubes del futuro, y encontrarás paz, equilibrio y gozo. Vive la alegría de cada mañana con las flores y los pájaros, y gozarás de los frutos de la creación y las bendiciones de la vida. Déjate llevar por los vientos de la gracia y las corrientes del instinto. El vuelo espontáneo del ave que no conoce límites, porque sus alas dominan el universo. El fácil abrirse de la flor en el perfume de la mañana, porque sabe que la tierra le pertenece en gesto amigo de hermandad perpetua. No preocuparse por el mañana, porque hay alguien que vigila y sabe y quiere y puede, y todo ha de discurrir en paz, momento a momento, bajo su providencia.

Cuando el pueblo de Israel atravesaba el desierto en la marcha que era imagen y ensayo de nuestra marcha por la vida, el Señor los alimentaba con la bendición oportuna del maná diario. El alimento divino tenía una peculiaridad, y era que había que recogerlo a diario; y si alguno, llevado por la avaricia de acumular provisiones o por la pereza de tener que salir a recoger la ración todas las mañanas para ahorrarse el trabajo de un día recogiendo doble el anterior, intentaba recoger en un día la ración de dos, esta segunda se pudría y se llenaba al momento de gusanos, de manera que no podía comerse. El maná era un ejercicio estrictamente diario. Sólo los viernes había que recoger el doble para no tener que trabajar en sábado, y ese alimento duraba los dos días en perfectas condiciones. Por lo demás, a ración por día. Toma hoy lo que necesitas hoy. Cómelo con alegría, y mañara traerá la ración de mañana. Cada día por su cuenta. Cada hora a su manera. Toma el maná de hoy y sigue andando, y mañana te encontrarás con tu parte en la providencia infalible del Señor, que se cuida de su pueblo en las arenas del desierto y en la peregrinación que es la vida. «Danos hoy nuestro pan de cada día» es la oración que Jesús nos enseñó, eco fiel de la experiencia salvífica del desierto.

Cuando vivimos con esta dependencia filial del cariño y la gracia de Dios, cuando caminamos por los senderos de la vida con Jesús a nuestro lado en fe diaria y creciente afecto, cuando nos acercamos a la madurez de nuestra vida, como él se acercó a la suya, en el misterio del conocimiento propio, tenemos derecho a volvernos a él y proponerle la pregunta que encarna nuestras vidas, el secreto de nuestro ser, la búsqueda de nuestras almas. En un remanso del tiempo, en el crepúsculo de la oración, en el silencio de la contemplación, le hacemos la pregunta atrevida y temblorosa: «Señor, ¿quién decís Vos que soy yo?» Y entonces se obra el milagro que abre los cielos y suelta a la paloma, y una voz suena dentro de nuestro corazón con toda la creación por testigo y las aguas del Jordán que lavan la impenitencia de nuestro frágil cuerpo: «Tú eres mi hijo amado». Gracia de adopción. Palabra del Padre. Hijos en el Hijo. Sello divino de humilde existencia.

Gracias, Señor. Quiero ser yo mismo. Quiero ser tu hijo. Quiero ser tu hijo amado.

Colección EL POZO DE SIQUEM

EDITORIAL SAL TERRAE
Guevara, 20 - Santander

75 derecha
2 blocks
350
between Byron
& Harding

350 75th Street

12A
upstair